다시 그 자리

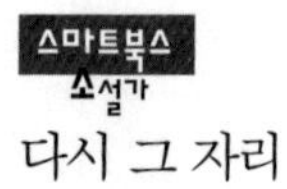

다시 그 자리

1쇄 발행일 | 2017년 05월 29일
2쇄 발행일 | 2017년 12월 15일

지은이 | 김경
펴낸이 | 윤영수
펴낸곳 | 문학나무

편집 · 기획실 | 03085 서울 종로구 동숭4나길 28-1 예일하우스 301호
이메일 | mhnmoo@hanmail.net

출판등록 | 제312-2011-000064호 1991. 1. 5.
영업 마케팅부
전화 | 02-302-1250, 팩스 | 02-302-1251

값 12,000원
잘못된 책은 바꾸어 드립니다

ISBN 979-11-5629-050-6 03810

스마트북스 소설가

다시 그 자리

김경 소설

문학나무

소설가의 말

나는 묻고 꿈은 화답한다

나는 때때로 내가 사는 세상, 지구를 가늠해보곤 한다. 내 깜냥으로는 도무지 측정이 되지 않는다.

무한한 우주를 동경하는 마음은 아이 때나 지금이나 변함이 없다. 그러면서도 나는 참 좁게 살아간다. 내 입지는 다람쥐가 쳇바퀴 돌리는 공간보다 그리 넓지 않다. 내가 활동하는 영역이나 내 사고의 폭도 제한적이다. 그럼에도 불구하고 나는 소설을 쓴다. 내 삶을 증명하는 유일한 통로라고 믿기 때문이다.

세 번째 창작집이다.

나는 이제야 비로소 내 소설의 독자가 된다. 소설 속의 인물들은 각각 다른 시공간에서 다양한 삶을 꾸려나간다. 그들의 공통점이 있다면, 빛나거나 당당하지 않은 걸음으로 한결같이 삶의 한 귀퉁이에서 헤맨다는 것이다. 물론 나름대로 열심히 움직이고 고민하는 모습은 역력하다. 그들에게는 결코 스러지지 않는 무엇인가가 잠재되어 있다. 그것은 바로 꿈이요, 희망이다. 그 희망은 언젠가는 지금보다 더 넓은 세상에 나아가리라는 바람이요, 의지다.

나는 그들을 사랑한다. 순수한 독자로서 그들을 사랑하는 일이 즐겁고 기쁘다.

내 소설을 읽으며 잠시 쉬어가는 사람이 있었으면 좋겠다. 쉬면서 지친 심신을 다독이면 좋겠다. 그리고 꿈을 꾸고 즐거울 수 있다면 더욱 좋겠다.

나는 오늘도 꿈을 꾼다. 나는 묻고 꿈은 화답한다. 꿈도 묻고 나도 화답한다. 언젠가부터 인식하고 있었다. 내가 꿈을 좇아가듯 꿈도 나를 좇아오고 있다는 것을.

내 설익은 꿈을 세심하게 읽고 해설을 쓴 박덕규 선생님, 그리고 기꺼이 책으로 엮어낸 문학나무에 깊이 감사드린다.

2017년 봄날, 용마산 자락에서

김경

차례

게르

게르를 완성하고 해체하며 이동하는 길 위의 삶. 분
명 내게도 방랑성이랄까, 보헤미안적인 기질이 있다

게르

떠나야겠어, 떠날 거야!!

휴대폰 메시지 창이 네온사인처럼 눈부신 빛을 뿜는다. 수영누나가 쓴 소설의 마지막 문장이다. 소설이 완성되면 마지막 문장을 보내주기로 약속을 했다. 헌데 쌍으로 찍힌 느낌표가 목에 가시처럼 걸린다. 문득 가슴이 서늘해온다. 다분히 의도적인 냄새가 난다. 자신의 내밀한 세계를 고도로 함축해 직설법으로 노출시킨 것이 아닐까. 아니, 모르겠다. 나는 도리머리를 한다. 소설은 어디까지나 소설이다. 마땅히 소설 주인공이 내뱉은 말일 뿐이다.

나는 장 교수가 떠넘긴 2학년생들의 기말 리포트를 읽던 중이었다. 리포트를 넘겨받을 때는 머리에 쥐가 날 것처럼 짜증이 났는데, 읽다 보니 어느 정도 기분이 풀렸다. 리포트의 논지는 몽골 유목민의 삶을 21세기 현대인의 관점으로 고찰하라는 것이었다. 학생들의 리포트는 유목민 특유의 삶이 장면을 달리해 전개되었다. 은근히 흥미로운 대목이 많았지만, 특별히 개성적이거나 변별력을 지녔다고 보기는 힘들었다. 그저 고만고만한 수준이었다. 보나마나 같은 목록의 참고 서적을 들춰보거나, 영상과 사진 등의 자료도 서로 공유했을 거였다. 어쨌든 읽는 맛은 꽤 쏠쏠했다. 낯섦에 관한 호기심 유발이랄까. 일단 집이란 고정된 벽과 지붕이라는 고정관념을 버렸다. 게르를 완성하고 해체하며 이동하는 길 위의 삶. 그 떠돌이 삶에 심취되어갔다. 분명 내게도 방랑성이랄까, 보헤미안적인 기질이 있다. 그런데 시간이 지날수록 또 다른 세계로 잠입되었다. 자유와 낭만이 비늘처럼 떨어지면서 인간 본연의 원시성에 매료된 것이다. 그것은 곧 유목민에 대한 환상으로 이어졌다.

나는 몽골 사람이다. 이 땅은 영원한 내 삶의 터전이다. 허공을 가로질러 뻗치는 장대한 목청이 대평원에 쩡쩡 울렸다. 털옷에 털모자를 눌러쓴 사내는 영하 30도를 곤두박질치는 혹한의 대지에 섰다. 사내의 짙은 눈썹이 꿈틀거렸다. 사내는 훌쩍 말 잔등에 올라타 채찍을 추켜들었다. 따가닥 따가닥, 힘찬 말발굽 소리가 허공을 갈랐다. 사내의 다부진 가슴에서 거친 숨이 터졌다. 세찬 바람이 몰아치고, 사내의 구릿빛 얼굴에 바람 자국이 깊이 파였다. 사내는 아랑곳하지 않고 말갈기에 얼굴을 묻은 채 비호처럼 달렸다. 끝없이 아득한 세계……. 사내에게는 이 세상이 너무 좁았다. 대평원을 마음껏 휘젓고 다녔다. 머리 위로 하루의 막바지 한 줌 고요가 내려앉았다.

사내의 호탕한 기개에 빠져 있던 참에 그녀의 문자가 날아들었다. 왠지 예감이 좋다. 작가 탄생! 당장 샴페인이라도 터뜨리고 싶지만, 일단 장미 한 송이라도 보내야겠다. 나는 인터넷 창을 띄우고 '꽃 배달'을 입력한다. 허나 선뜻 검색을 못하고 멈칫거린다. 아무래도 너무 성마른 행동이다. 작품은 빤히 아직 공모전 제출도 하지 않았다. 마음을 접는 게 옳다. 그런데 접고 보니, 오히려 심상찮은 느낌이 올라온다. 심장 근육도 불안감으로 팔딱거린다. 거역할 수 없는 반전의 신이 내린 게 틀림없다. 좋은 예감이 등을 돌려버렸다. 원래 예감이란, 적중하지 않는 편에서 얼쩡거리기 십상이다. 나는 애써 마음을 평정하면서 문자에 첫눈을 뜬 아이처럼 또박또박 음독을 한다. 떠나야겠어, 떠날 거야!! 그렇다. 사실 떠난다는 말은 그녀의 상투어이면서 그녀 삶의 모토다. 그리고 나는 그 말에 이골이 나 있다. 그래도 모를 일이다. 그녀는 원래 텃새가 아닌, 철새다. 최악의 경우, 지금쯤 집을 나와 훨훨 날아가고 있을지도 모른다. 최고의 검객이 단 한 칼로 상대를 제압하듯, 한 문장으로 나를 여지없이 내리치고서 말이다.

모니터 왼쪽에 놓인 머그잔을 움켜잡는다. 미지근한 커피가 떨떠름하게 혀를 간질인다. 리포트를 다시 읽어나간다. 속도감도 떨어지고 내용도 자꾸 겉돈다. 집중력이 현저하게 떨어졌다. 그녀의 행보에 대한 의구심이 머리에서 떠나지 않는다. 일단 발품을 팔아서라도 사실 확인이 필요하다. 나는 허둥지둥 일어나 의자 등받이에 걸쳐놓은 가죽 재킷에 양팔을 집어넣는다. 휴대폰의 초기화면을 깨워 단축번호 1번을 터치한다. 그녀의 목소리는 들리지 않고 애꿎은 모차르트의 소야곡만 흘러나온다. 결국 멘트를 듣는다. 전화를 받지 않아 음성사서함으로……. 종료 버튼을 누르고 털썩 의자에 주저앉는다. 뜬금없이 눈이 시리다. 괜히 짜증이 나서 신경질적으로 눈을 비비댄다. 이물감과 함께 미세한 통증까지 느껴진다. 이내 눈물이 뺨으로 번진다. 자제 불가능인 눈물은 심리적인 통증과는 무관한, 신경세포의 증상이라고 했다. 언젠가 안과에 간 적이 있다. 잎갈나무 낙엽이 교정을 뒤덮은 을씨년스러운 오후였다. 눈물샘이 폭발한 듯, 눈물을 주체할 수 없었다. 거기에 눈물, 쓰라림, 통증이 수반되었다. 눈을 뜨면 모든 증상이 더 기를 쓰고 덤벼들었다. 눈을 뜨는 둥 마는 둥하고 걸었다. 각막이 무척 예민해져 있군요. 눈물 흘림증입니다. 심한 건조증이라고 생각하면 됩니다. 일종의 조로현상이라는 말까지 덧붙였다. 좀 모호한 진단이었다. 상식적으로 건조증과 눈물은 상충하는 현상이었다. 인공눈물과 각막치료제를 처방받고 나오는데, 기분이 몹시 언짢았다. 조로현상이라니. 모를 일이다. 아니 실제로 조로현상일 수도 있다. 눈매가 날카로운 몽골인들이 떠오른다. 초강력 시력을 지닌 몽골인은 70킬로미터 밖에서도 움직이는 매를 감지한다고 했다. 나도 아직 시력이 살아 있다. 2.0이 내 눈의 수치다. 지금 나는 좀 예민한 상태다. 그녀 때문이다. 설마 그녀가 한 마디 암시도 없이 결행했을까.

우리는 하늘과 땅, 빛과 그림자처럼 불가분의 관계다. 또한 바늘과 실처럼 함께 있어야만 존재감이 배가되는 한 쌍이다. 물론 나 혼자만의 과대 포장 내지 망상일 수도 있다. 최근 3년간 우리는 비교적 잘 지내왔다. 비교적 잘 지냈다는 것은 간간이 균열, 삐걱거림 정도는 발생했다는 뜻이다. 그 원인은 그녀의 좀 유별난 기질 때문이었다. 바로 가출벽이었다. 10여 개월 전부터 지금까지는 잠잠하고 고요한 나날이었다. 물론 그녀가 오롯이 제자리를 지켰다. 그녀는 성실하게 피아노 레슨을 하면서 소설 습작만 몰두했다.

5년 만의 해후였다. 보리사의 단기 출가 수련법회장에서 그녀를 만난 건 정말 기적에 가까운 일이었다. 해후도 그렇지만, 절집이라는 공간이 그랬다. 내가 알고 있는 그녀는 주님의 그늘에서 안주하는, 그것도 개척 교회의 맹신자였다. 수련법회 첫날, 나는 한눈에 그녀를 알아보았다. 그녀도 나처럼 수련복인 회색 승복바지와 라운딩 면 티셔츠 차림이었다. 파담 파담, 흘러간 샹송의 제목이 바로 내 가슴에서 터졌다. 그

파장이 내 자제 능력을 시험했던가. 하마터면 수영이 누나! 하고 외칠 뻔했다. 입소식을 마친 뒤여서 천만다행이었다. 입소식 후에 곧바로 들어간 묵언행이 주효했다. 아무튼 그녀가 직녀이든 말든, 나는 부동의 견우였다. 여울지는 내 마음을 다독이고 또 다독였다. 그녀는 5년 전에서 한 발치도 나가지 않은 모습이었다. 가무잡잡한 낯빛, 날카로운 콧날, 그늘진 커다란 눈망울……. 눈매는 여전히 낙타와 닮아 있었다. 내가 처음 만난 낙타는 영상물이었으나, 그 눈망울은 실제보다 더 강렬하게 내 가슴에 파고들었다. 잿빛 속눈썹이 유난히 길고 진해서 눈망울이 더 돋보였다. 까만 대리석 빛의 영롱한 맑은 구슬. 그러나 낙타의 여정은 고달팠다. 모래 먼지를 한가득 뒤집어쓴 채 터벅터벅 모래언덕을 오르내리는 발길. 힘든 숙명의 길. 낙타의 눈망울은 모든 걸 견뎌나가는 고독한 영혼의 표상이요, 고귀한 영혼의 빛이었다.

그녀와 나의 역사는 까마득한 세월 저편에서 싹텄다. '초록 피아노학원'은 아파트 상가 4층에 있었다. 승강기는 늘 만원이고 계단 오르내리기는 지루했다. 그녀는 6학년, 나는 한창 축구에 빠진 4학년이었다. '체르니 100번'을 펼치면 축구공이 손가락보다 먼저 건반 위를 굴렀다. 50분이 5시간보다 더 길게 느껴졌다. 몰입해야만 시간이 재게 달아난다는 걸 몰랐다. 언젠가 방과 후였다. 땀과 흙 범벅인 몰골로 골문을 향해 드리블을 하다가 그만 나동그라지고 말았다. 상대편 수비수의 태클에 걸린 거였다. 야, 고준수! 네 피아노 시간 아냐? 잘한다! 누군가 꽥 소리를 질렀다. 수영누나였다. 나를 내려다보는, 웃음이 함빡 담긴 누나의 눈, 그 눈동자. 나도 모르게 볼이 화끈거려 선뜻 일어나지도 못했다. 갈색 플라타너스 한 잎이 바람을 타고 내 얼굴에 떨어졌다. 누나가 획 몸을 돌려 달려갔다. 정수리에 질끈 동여맨 긴 머리칼이 찰랑찰랑, 시야를 건드렸다. 눈이 부셨다. 잊을 수 없는 추억이 행복이라면, 그 순간이 바로 행복의 원천이었다. 보이지 않는 가슴 밑바닥에서 불씨 하나가 툭 터졌다.

피아노경연대회가 발표되었다. 누나는 맹연습에 들어갔다. 연주할 곡은 '모차르트 피아노 소나타 15번'이었다. 나는 지금도 그 곡만큼은 자신 있게 연주할 수 있다. 비록 허밍일지라도. 음악의 정조는 마음을 지나 머리까지도 지배하는 힘이 있다는 걸 훗날 알았다. 누나가 며칠째 보이지 않으면서 우리의 1차적 만남은 끝났다. 어머니의 병환으로 갑자기 이사를 갔다는 소식이었다. 찬물을 뒤집어 쓴 듯 머릿속이 얼얼했다. 2차적인 만남은 너무도 오랜 세월을 필요로 했다. 그에 앞서 나는 친구들에게 그녀를 공개해버렸다. 대학 새내기 시절 종강파티, 취기 탓인지 한껏 들뜬 상태였다. 막걸리 병들이 발에 채이고 빈대떡, 도토리묵, 오징어볶음 등이 뒤섞이면서 테이블이 어수선한 때였다. 바로 지금, 현재의 사랑타령 타임입니다. 우우, 와와……. 언변 좋은 K의 발언에 모두가 환호성을 질렀다. 내 차례가 왔다. 나팔꽃처럼 상큼한 그녀와 함께 '젓가락 행진곡'을 연주했다고 털어놓았다. 여기저기서 냅다 괴성을 지르고 낄낄거렸다. 야, 고준수! 넘했다, 초딩 땐데 지금도? 순정만화 그리고 있네. 도대체 몇 세기에 탄생하셨어용? 이뻐? 김태희 사촌쯤은 되나봐? 인마, 정신 차려! 누군가가 내 이마에 알밤을 먹였다. 그래, 어쩔래? 이 고준수 순정만화 주인공이다. 아니 구석기 시대 사나이다. 나는 큰소리로 으름장을 놓으면서도 좀 뻘쭘했다. 나는 어렴풋이 깨달았다. 내 가슴앓이도 이쯤에서 치유되었다고 말이다. 그런데 그 깨달음이 얼마 못가 폐기될 줄이야. 이듬해였다. 봄이 미처 작별인사를 하기도 전에 한더위가 끼어든 때였다.

아침부터 후텁지근하다 못해 꿉꿉했다. 인문대 계단을 오르다가 지도교수의 황급한 호출을 받았다. 교수실에는 지도교수, 선배 S와 Y, 그리고 한 여인이 빙 둘러앉아 있었다. 시원한 에어컨 바람 아래서 다들 무덥다는 표정이었다. 분위기가 심각했다. 동생 좀 꼭 구해주세요. 부탁합니다. 여인이 지도교수를 향해 고개를 숙였다. 여인의 목소리와 눈매가 왠지 낯익었다. 문득 어떤 첩보 작전 같은 실전에 가담되었다는 직감이 들었다. 참, 준수는 잘 모르겠구나. 윤수영이 그 동안 휴학을 해서 말이야. 윤수영? 나는 반사적으로 여인을 향해 고개를 틀었다. 온몸의 실핏줄까지 가슴으로 몰리는 느낌이었다. 반듯한 콧날에 깊은 눈매가 영락없이 그녀였다. 걔가 교회에 빠져 몇 번 가출은 했어도 목돈까지 들고 나간 적은 없었어요. 중국에 어학연수 가는 줄만 알았다구요, 전도하러 간다곤……. 그녀는 전주에 본교를 두고, 서울에 분원이 있는 사이비 교회에 빠져있었다.

새벽 두 시, 우리들은 빌라의 벽돌 담벼락에 납작하게 등을 붙이고 숨을 죽였다. 교회 정문이 대각선으로 보였다. 이윽고 둔중한 차바퀴 소리가 들렸다. 교회 앞으로 대형 버스가 모여들었다. 버스 문이 열리고 사람들이 소리 없이 내리기 시작했다. Y선배가 내 옆구리를 쿡 찔렀다. 호리호리하고 키가 큰 그녀가 앞문 발판에 막 발을 딛는 찰나였다. 나는 열쌔게 뛰어나갔다. 선배들보다 빨랐다. 낌새를 챈 것인지, 그녀도 교회 입구를 향해 내달렸다. 누나! 수영이 누나! 나도 모르게 목청껏 외쳐댔다. 건장한 사내들이 우리들을 가로막는 것을 기화로 일대 소동이 벌어졌다. 서로가 주먹을 날렸다. 그녀와 눈이 부딪쳤다. 그녀는 피아노 교실 사진에서 갑자기 확대되어 나와 있었다. 가슴이 먹먹했다. 나는 나를 알아보지 못한 그녀의 어깨를 감싸 안고 대기하고 있던 승용차에 탑승했다.

긴 여름방학으로 접어들었다. 하루 종일 그녀의 집 근처 커피숍에 죽치고 앉아 있었다. 마침내 그녀가 들어왔다. 그 동안 키워온 내 감정의 실체를 고백했다. 지극히 순연하게. 고난도의 숙제를 마친 듯, 홀가분하다 못해 새로운 기운이 뻗쳤다. 그녀를 껴안고 키스하고 싶은 충동을 가까스로 억눌렀다.

그녀는 의외로 무덤덤했다. 아니 내 눈을 외면한 채, 커피 잔에 담긴 얼음조각만 깨물었다. 그날 이후로 그녀는 앵무새가 되었다. 입만 열었다 하면 이 선배가, 라는 말부터 꼭꼭 앞세웠다. 그녀의 술수에 말려들 내가 아니었다. 그 어설픈 태도가 나를 더 자극하고 부추겼다. 게다가 나는 어떤 운명적인 의무감에 사로잡혀 있었다. 그녀를 반드시 악의 구렁텅이에서 구원하리라는. 헌데 악의 소굴은 사이비 영성교회가 아니었다. 그녀의 불투명한 마음자리요, 불안정한 의식이었다. 나는 그녀의 심리 기저 해부에 들어갔다. 그녀의 언니에게 매달려 도움을 청했다. 걘 예민한 열네 살이었고, 난 한참 둔한 맹꽁이였어. 엄마의 죽음이 A급 태풍이었지. 그 상실감이 핵폭탄으로 터진 걸 몰랐어. 엄마의 유골함을 부둥켜안고 풍덩, 호수에 뛰어들던 장면만 생각하면……. 고교 시절엔 수면제 과다 복용으로 위세척까지……. 그 뒤로 툭 하면 집을 나갔어. 대학에서 두 번이나 휴학한 것도 다 가출 때문이라구. 워낙 너울가지도 없는 애라 나는 사이비 교회인지도 모르고 나다니는 걸 좋아했는데……. 그녀가 부대껴온 삶의 내막이 고스란히 드러났다. 그녀의 가족사는 전형적인 불행의 온상이었다. 폭력적인 아버지, 부모의 별거, 어머니의 암 투병과 사망, 새어머니 자식들과의 갈등 등등. 그녀의 절절한 상흔을 말끔히 치유할 수만 있다면. 정확한지는 모르지만, 기억 속에 저장된 시의 한 구절이 떠올랐다. '네가 앓았던 그 병 나도 앓고 싶다'. 읊으면 읊을수록 절창이었다. 어쨌든 그녀의 머리를 지배하고 있는 환상이든 맹신이든, 그 뭔가를 깨부수는 게 급선무였다.

먹구름이 내려앉은 정오였다. 도서관 잔디밭에서 그녀를 기다렸다. 나는 좀 들떠 있었다. 내 가방 안에는 발자크의 '인생의 첫출발'이 들어 있었다. 저만치 그녀의 실루엣이 나타났다. 나는 가방을 열었다. 그녀가 금세 다가왔는데 침울한 기색이 역력했다. 무슨 일 있어? 그녀는 고개를 가로저었다. 별일 아냐. 집 나온 지 며칠 됐어. 뭐? 그녀는 내 시선을 피해 애꿎은 잔디를 잡아 뜯었다. 솔직히 말해 봐. 영성교회에 못 가서 미치겠지? 지금 누나는 가족을 부정하는 게 문제라구. 사춘기도 아니고. 혼자 내팽겨졌다는 그딴 감상, 왜 못 버려? 왜 컴컴한 개미굴에 자신을 못 가둬 안달이냐구. 제발, 좀 꿋꿋하게 일어서 봐. 나는 거칠게 몰아붙였다. 후배님, 말솜씨가 완전 앵커 수준이네. 입 꼬리를 살짝 올리던 그녀의 표정이 이내 굳어졌다. 가족은 굴레일 뿐이야. 시궁창 냄새에 쩐 우리 집…… 끔직해! 물론 원흉은 아빠지. 그 지옥에서 내가 이나마 버틴 건 한 줄기 빛을 만난 덕분이라구. 만일 목사님을 만나지 못했다면……. 아, 생각만 해도 너무 무섭다. 그녀는 부들부들 어깨를 떨었다. 그럼, 지금 누나가 사는 세상이 천국이라는 말이네? 근데, 참 이상타. 그 천국은 왜 꼭 집을 나와야만 존재할까? 나는 두서없이 비꼬며 윽박질렀다. 그녀는 입을 앙다물고 사나운 눈초리로 나를 흘겼다. 나는 침묵했다. 그만 하자. 그녀는 발딱 일어나 총총히 걸어갔다. 그녀의 뒷모습이 점점 흐려졌다. 나는 그제야 가방 안에서 '인생의 첫출발'을 꺼내들었다. 표지 위로 어디선가 물방울이 뚝 떨어졌다.

한동안 그녀는 두문불출했다. 수강 신청을 하러 갔다가 본관 입구에서 그녀와 맞닥뜨렸다. 그녀의 눈빛은 여전히 얼음장이었다. 넌 뭐든지 시시콜콜 따지려들더라. 참 피곤한 스타일이야. 그래, 지금도 넌 인생이 거울을 보듯 투명해야 한다고 생각하니? 왜, 불투명하게 살 이유는 뭔데? 나는 불퉁스럽게 되받아치며 한 마디를 더 얹었다. 그게 다 병이야. 자아상실증에서 유발한 허상, 알아? 몰라. 그녀가 짧게 퉁겼다. 어색한 침묵이 흘렀다. 그녀가 목소리를 낮추었다. 목사라고 해서 다 같은 목사가 아니야. 우리 목사님은 신의 부름을 받은 분이라구. 신과 동격으로 봐야 해. 그럼, 바로 신이네? 그건 아니고, 우리가 그분을 통해 신과 대화할 수 있다는 거지. 그래? 바로 무당과 같네? 우리의 대화는 합일점을 찾지 못한 채 계속 엇나갔다. 고장 난 자전거 바퀴처럼 헛돌았다. 아니 고장 난 오르골처럼 계속 돌았다. 당연히 그녀와의 간극은 전혀 좁혀지지 않았다.

나는 그녀의 고정관념을 깨뜨릴 묘책을 찾아 부심했다. 그녀는 자신의 성을 더욱 더 견고하게 다져갔다. 그러면서도 우리는 어느덧 하나의 동선을 그리고 있었다. 강의실, 도서관, 커피숍, 분식점에서 미술관, 야구장, 영화관 등으로 점차 범위를 확대해 나갔다. 문창과 강의실만 그녀 혼자서 기웃거렸다.

12월이 한 발 앞으로 성큼 다가왔다. 학교 정문을 막 나서는데, 때 아닌 첫눈이 펑펑 쏟아졌다. 그녀의 머리 위로 눈송이가 푸슬푸슬 날렸다. 그녀가 종알거렸다. 새해 1월 1일자 일간지, 꼭 죄다 톺아봐야 한다. 명품을 무려 2편이나 응모했으니까. 브라보! 나는 환호성을 질렀다. 그녀의 까만 눈망울이 촉촉한 속눈썹 사이로 반짝반짝 내비쳤다. 신춘문예의 당락이 중요한 게 아니었다. 소설 쓰기가 희망이었다. 소설이 그녀를 제대로 난 길로 인도해주리라는 확신이 들었다. 새해 첫날 아침이었다. 어떤 신문의 지면에도 그녀의 이름은 없었다.

나는 졸업식을 한 달여 앞두고 국방의 의무에 뛰어들었다. 졸업식을 마친 그녀는 학원 영어 강사로 취직했다. 못내 기다리던 첫 휴가 첫날이 왔다. 육군 일병의 기개로 학원을 향해 진초록 가로수 길을 달렸다. 상쾌한 질주였다. 그런데 그녀는 제자리에 없었다. 그녀를 찾아간 곳마다 그녀의 부재만 확인시켜줄 뿐이었다.

세월은 묵묵히 제 길을 갔다. 그 무엇에도 타격을 받거나 움츠려들지 않았다. 나는 그 세월에 힘입어 제대, 취직, 대학원의 순으로 한 획 한 획을 그어갔다. 그녀는 결코 그림자도 얼씬거리지 않았다. 수련법회라는 끈이 없었다면 어땠을까. 아무튼 그녀와 나, 인연은 인연이었다.

당시에 나는 유통회사에 다녔다. 걸핏하면 야근인데, 그날은 모처럼 정시 퇴근이었다. 하지만 한 잔 걸치다 보니, 또 밤이 깊었다. 노곤했다. 집에 들어서자마자 침대에 엎어졌다. 영 기분이 찜찜해. 이번엔 니가 아버지와 동행해야겠어. 어머니가 침대 발치에 서서 심각한 어조로 말했다. 아버지는 2년 전부터 동하절기 수련법회에 쫓아다니고 있었다.

내 기억의 뿌리에서부터 시작되는 아버지의 이력은 가출이었다. 아버지가 부재한 집은 늘 휑뎅그렁했다. 아버지의 가출 목적은 뚜렷했다. '삼촌 찾기'였다. 물론 순전히 내가 유추해 낸 결론이다. 어머니의 질타와 푸념, 넋두리에서 힌트를 얻었다. 확실한 증거물인 사진 한 장도 있다. 열여섯 살 삼촌은 햇빛이 가득한 마당에서 포즈를 취했다. 야릇한 표정, 비틀어진 이목구비, 갸웃한 고개, 굽은 양팔, 뒤틀린 손. 유일하게 건재한 하반신을 자랑하는 듯, 나무처럼 꿋꿋한 자세는 그저 순순한 모습이었다.

그 해의 도시는 민주주의가 실종되면서 걷잡을 길 없는 광란으로 치달았다. 비겁하고 잔인한 군대의 총칼이 난무했다. 사상자와 실종자가 날이 갈수록 늘었다. 도시는 그 기능이 마비될 지경이었다. 아버지와 삼촌이 뒹굴고 있던 마당까지 시민들의 아우성이 진동했다. 제대 말년 휴가병인 아버지는 바지 벨트를 잡아당기는 동생을 냉정하게 뿌리쳤다. 형한티 간다고 골목을 빠져나가는 걸 내가 똑똑히 봤어라. 옆집 아주머니는 녹음테이프처럼 매번 또박또박 되뇌었다. 5월은 뼈를 깎는 고통의 달이었다. 아버지는 5월이면 안절부절못하고 몸을 들썩였다. 사진 속의 삼촌이 박힌 전단지를 품에 안고 전국을 헤맸다. 그런데 그 방황의 향방이 사찰로 옮겨간 것이었다. 보리사의 수련법회도 그 일환이었다. 문득 수련법회의 백미인 포행시간이 떠오른다. 지금도 당시만 생각하면 살얼음판을 딛는 듯 조마조마하다.

포행 장소는 일주문 밖의 산 아래 공터였다. 한겨울의 옅은 햇살이 퇴색한 잡풀 위에 살포시 깔려 있었다. 수련생들은 스님의 지시에 따라 한 몸이 되어 움직였다. 단선과 복선을 병행해 직선, 원, S자 모양을 그려나갔다. 몸 그림이었다. 스님이 원형복선의 중심에 서서 입을 열었다. 눈을 감고 스스로에게 집중하세요. 당신은 지금 누군가를 사랑하고 있습니다. 가족 중의 한 사람이지요. 그 사람이 바로 당신 앞에 있습니다. 마음의 눈으로 그 사람의 눈을 보세요. 이제, 평소에 하고 싶었던 말을 마음속으로 시작하십시오. 실바람이 콧등을 살짝 스치고 달아났다. 일시에 부모님과 동생의 얼굴이 나타났다. 세 사람은 결속이라도 한 모양, 꿈쩍도 하지 않았다. 한순간 아버지의 희멀건 얼굴만이 시야를 가렸다. 절호의 기회였다.

아버지, 막 운을 떼는 찰나였다. 난데없는 소음이 정적을 깨뜨렸다. 울음소리였다. 단조의 피리소리처럼 구슬픈 음색을 띤 울음소리. 아, 나는 그만 머릿속이 하얘졌다. 그 옛날, 첩보작전을 마치고 탄 승용차 안에서 토하던 목울음소리. 나는 눈을 뜨고 싶은 충동으로 얼굴 근육이 경직되어갔다. 인간들을 이해할 수 없어. 그녀가 정색을 하고 했던 말이 뇌리를 스쳤다. 인간이 아니라 아버지겠지. 이해할 수 없는 게 아니라 이해하려는 시도조차 않은 거고. 나는 그녀의 한 마디를 두 마디로 짓눌렀다. 과연 그녀에게 가족은 어떤 의미인가. 새삼 질문이 솟구쳤다. 또 아버지는 어떤 의미로 존재하는가. 혹시 그녀는 아버지에게 말문이 터졌는가. 울음소리가 시나브로 잦아들었다. 내 사고는 그만 벽에 부딪혀 갈팡질팡했다. 나야말로 그녀에게 어떤 존재였던가. 후배? 친구? 연인? 연정이니 뭐니 하면서도 여태까지 그녀를 도외시하고 있었다. 결코 이해할 수 없다는 것을 전제한 탓에 진심어린 이해를 위한 시도는 생각조차 한 적이 없다. 얘기 다 마쳤나요? 눈을 뜨십시오. 스님의 목소리가 아스라이 들렸다. 나는 황급히 그녀를 찾아 두리번거렸다. 그녀는 산을 등지고 나와는 비스듬한 방향에 있었다. 숲에서 잿빛 산비둘기 한 마리가 후드득 날아올랐다. 정신이 번쩍 들었다. 저만큼 건너에 아버지의 멀뚱한 키가 눈에 띄었다. 당신 그림자만 보여도 신물이 나. 제발, 그만둬! 대한민국에 안 밟은 땅이 있기나 해? 도대체 당신한테 가족은 뭐냐구! 아버지의 면전에 대고 어머니는 악다구니를 써대기 일쑤였다. 아버지의 가출이 본래의 궤도에서 이탈한 걸 눈치 챈 어머니는 더 닦달을 했다. 원인 모를 가출은 목적 없는 방황이었다. 이유 없는 가출이라면 귀가할 이유도 없을 것 같은 막연한 불안감. 어머니도 같은 심정으로 내 등을 떠밀었던가. 헌데 나는 수련법회 내내 그녀에게 정신이 팔려 있었다. 어머니에게는 건성으로 보고할 수밖에 없었다. 출가 의향은 전혀 아니시던데요?

마음이 갈피를 못 잡아 싱숭생숭하다. 완성할 수 없는 퍼즐 판을 껴안고 있는 것처럼 막막하다. 창틀에 기대어 밖을 내다본다. 은행나무 가지에 아슬아슬하게 까치집이 걸려 있다. 한차례 바람이 불면 나뭇가지가 꺾이고, 순식간에 까치집은 박살이 날 기세다. 창문을 등지고 돌아선다. 휴대폰은 책상 한쪽에, 못다 읽은 리포트는 책상 중앙에 펼쳐져 있다. 습관적인 손놀림이 단축번호 1번을 터치한다. 변함없이 모차르트의 소야곡이 터진다. 1악장이 채 끝나기도 전에 멘트가 나온다. 전화를 받지 않아……. 아까와 똑같은 상황이 재현된다. 나는 양손 엄지로 자음 모음을 합성하기 시작한다. 지금 어디야, 빛의 속도로 날아갈 테니 기다려! 픽 웃음이 난다. 1초에 지구 둘레를 일곱 바퀴 반 돈다는 속도로? 쓸데없는 말장난이다. 리포트 평가서 마지노선이 내일 정오다. 뻔뻔하게 느물거리는 장 교수 앞에서 무책임하고 비굴한 얼굴로 쩔쩔매는 조교는 절대 그리고 싶지 않은 초상화다. 가죽재킷의 지퍼를 내리고 의자를 바짝 당겨 앉는다. 리포트의 1, 2쪽을 읽고 3쪽을 읽으려는데 짜증이 치민다. 중언부언이 너무 심하다. 글의 분량을 채우려는 얄팍한 수작이다. 그대로 제쳐놓고, 다음 글에 눈을 준다. 내리 네 편을 죽죽 읽어간다. 편편이 죄다 수준 미달이다. 유목민의 삶을 제대로 인식하지 못한 결과물이다. 도시에 적응하지 못해 두려워하고 밀려났다고 보는 시각이 압도적이다. 그들의 삶을 극히 부정적으로 간주하고 있다. 그에 반해 조직 사회에 갇힌 현대인을 보는 회의적인 시각은 괜찮다. 하지만 조급증에 시달리는 현대인과 느리게 사는 유목민의 관계성을 제대로 연결하지 못하고 있다. 미숙한 리포트의 중심에 돌연 학부생인 내가 서 있다. 내가 제대로 투영되었다. 에라, 모르겠다. 나는 리포트에서 눈을 뗀다. 읽어나가는 일이 심드렁해지고 만다.

퇴근 시간을 넘기고서야 책상을 정리한다. 창문에 출렁이던 해넘이 빛이 삽시간에 온 하늘을 물들인다. 그녀의 생일을 접대하려 드리운 하늘도 저처럼 곱고 아름다웠다. 그녀의 원룸 서쪽 벽면은 반이 유리창이다. 노을빛이 스러지는 시간에 케이크의 촛불을 밝혔다. 우리의 취향은 이렇듯 고전적인 데가 있다. 역시 촛불은 붉은색보다 진회색 배경에서 더 정열적으로 타올랐다. 사랑의 시간도 그랬다. 가늠하거나 측정할 수 있는 시간이 아니다. 우리는 치즈케이크가 촛농케이크로 변모되어가는 것도 몰랐다. 그날의 기억이 마음을 재게 이끈다. 문득 눈에 뜨거운 기운이 쏠린다. 안압이 상승하는 조짐인가. 설상가상으로 건조증세에 안압까지……. 손으로 눈두덩을 지그시 누르며 등받이에 상체를 기댄다. 뜬금없이 그녀의 체취가 코를 간질인다. 달콤하다. 곁에 없는 그녀의 존재감. 그녀의 숨소리를 느끼는 것만으로도 내 몸은 기지개를 켜곤 했는데……. 그녀는 지금 어디에 있는가. 그녀에 대한 갈구의 응답인지, 뜻밖의 영상이 열린다. 비현실적인 현실이다.

적당한 조도의 형광불빛이 고즈넉하게 깔린 그녀의 방이다. 그녀는 없다. 그녀의 손때 묻은 기기들만 남아있다. 기기들은 무선 조종되는 특수 비품이다. 티크옷장의 미닫이문이 스르르 열린다. 어둡고 무거운 톤의 중저가 옷들이 상하의로 나뉘어 깔끔하게 정리되어 있다. 대부분이 낡고 색이 바랐다. 신발장 여닫이문이 벌컥 열린다. 갈색 단화와 흰색 운동화 두 켤레만 덩그러니 맨 위 칸에 놓여 있다. 책장은 칸칸이 만원이다. 사전 두께의 '생각의 역사'와 '소포클레스 비극 전집'이 나란히 자리하고, 그 옆에 얄팍한 시집들이 즐비하다. '세운상가 키드의 사랑' '그 여름의 끝' '게 눈 속의 사랑' 등등. '괴테의 이탈리아 기행'이나 '죽음이란 무엇인가'도 보인다. 그 외는 대개가 소설책이다. 책상 위에는 프린트한 A4 종이들이 쌓여있다. 각 장마다 행간에 붉은색 글자들이 난무한다.

나는 그녀의 퇴고 버릇을 알고 있다. 퇴고 글자다. 나는 단 한 번도 그녀가 쓴 글을 읽어본 적이 없다. 퇴고한 원고를 간추리는데 냉장고의 신호음이 울린다. 문이 살짝 열린 냉장고는 텅 비어 있다. 텅 빈 냉장고, 텅 빈 코끼리의 뱃속. 이상하게 코끼리가 연상된다. 언젠가 우리는 들깨수제비를 먹으면서 티브이 다큐멘터리 프로에 열중했다. 그 거대한 덩치가 황량한 사파리를 떠돌다가 고꾸라져버렸다. 거친 흙먼지가 피부에 달라붙어 쌓이고 또 쌓였다. 코끼리는 한 치의 저항도 못한 채 흙무덤으로 굳어갔다. 그녀는 끝내 들깨수제비를 게워내고 말았다. 아, 그렇다. 방금 본 비현실적인 냉장고는 그날 밤의 썰렁한 냉장고였다.

온종일 늦가을비가 추적추적 내리던 날이었다. 그녀의 언니와 나는 밤새 머리를 맞대고 로드맵을 그렸다. 그녀의 동선을 추적하는 내 나름의 노하우를 풀었다. 첫 번째 목적지는 오죽헌이었고, 적중했다. 나는 그녀가 들려준, 동해 바다를 뒤덮은 빛 무더기를 기억하고 있었다. 그녀는 배낭에 파묻힐 듯한 뒤태로 신사임당 초상화 앞에 서 있었다. 그녀의 흔연스러운 표정이라니. 왠지 기만당한 느낌이 들었다. 착잡했다. 주위에 빛나는 선홍색 단풍잎들이 내 눈에는 말라비틀어진 칙칙한 나뭇잎으로만 보였다. 먼저 발을 뗀 그녀가 한적한 문성사 뒤뜰에서 발을 멈췄다. 오죽이 빽빽하게 들어찬 오죽밭이 지척이었다. 소슬바람이 그녀의 머리칼을 날렸다. 줄기가 손가락처럼 가느다란 오죽은 서로 몸을 비비대며 흔들거렸다. 그녀는 대뜸 오죽밭에 뛰어들어 오죽 한 아름을 끌어당기며 살짝 미소를 머금었다. 오죽과 청죽은 뿌리가 같게, 다르게? 댓잎처럼 살랑거리는 그녀의 말을 못 들은 척했다. 답도 아리송했지만, 맞장구를 칠 기분이 아니었다. 남녘 대나무가 여기서 한 철을 난 뒤에 오죽이 됐다네? 한파 속에서 생명을 지켜내는 방편, 살아남기 위한 몸부림……. 어때? 그 자기보호 본능이 경이롭지 않아? 하지만 까맣게 변색되기까지, 그 고통을 생각하면 마음이 찡해. 그래서 하는 말인데, 인간의 생존 의미니 뭐니, 이런 걸 따지며 논한다는 게 좀 우습더라. 나는 그녀의 마음이 점점 고양되어가는 걸 지켜보다가 마지막 말에 머리가 곤두섰다. 하지만 애써 반박하지 않았다. 그렇잖아도 그녀를 어떤 방법으로 설득해 귀가시켜야 할지 머리가 지끈거렸다. 무엇보다도 그녀에 대한 이해가 전제돼야 하는데, 자신이 없었다. 선뜻 떠오르는 묘수가 없었다. 그녀를 찾은 일이 자칫 수포가 될 수 있었다. 마침 돌아가려던 참이었다구. 니가 내 마음을 바꾼 게 아니란 뜻이야. 그녀는 새치름하게 팔짱을 끼고 오죽밭을 나섰다. 머리가 어지러웠다. 정말 예측불허였다. 게임이라면 나는 완벽한 패자였다. 다시는 지는 게임을 하지 않으리라고 다짐하며 입을 앙다물었다.

아, 지금 그녀는 어디에 있는가. 나는 성마른 사람처럼 안절부절못한다. 두 발이 허방을 짚은 듯하다. 미처 읽지 못한 리포트를 챙겨 백팩에 넣는다. 불안한 심정으로 좀 전에 보냈던 문자를 재전송한다.

지하철 역사를 빠져나온다. 지하철이 지옥철이라는 걸 제대로 실감했다. 한시가 급하다. 양 어깨에 걸린 백팩의 끈을 부여잡고 냅다 달린다. 105동 앞이다. 그녀의 원룸이 올려다 보인다. 승강기는 꼭대기 14층에 올라가 있다. 버튼을 누르려다 말고 계단을 뛰어오른다. 4층에서 잠깐 숨을 고른 뒤에 난간을 붙잡고 한 발 한 발 6층에 이른다.

#184481#, 우물 정자에서 손가락을 떼고 현관문 손잡이를 잡아당긴다. 텁텁한, 묵은 공기가 확 밀려나온다. 그녀는 부재중이다. 허탈감을 누르고 침대와 직각으로 붙박인 옷장을 열어젖힌다. 그녀가 숨어있을 리가 없다. 내공이 쌓인 스스로의 상상력에 놀란다. 옷들이 거의 다 무채색 일색이다. 냉장고 문을 연다. 실내 불빛이 삽시간에 냉장고 안으로 파고든다. 텅텅 비었다. 공장에서 이제 막 출하한 제품처럼 말끔하다. 결국 우려한 사태가 벌어졌다. 그녀의 행선지는 오리무중이다. 새삼 그녀의 특출한 망각 재능을 깨닫는다. 그녀는 분명 나를 잊었다. 나와 함께 한 시간을 잊었다. 그렇지 않고서야 어찌 떠날 수 있겠는가. 울금을 먹으면 필요 없는 기억이 삭제된다네. 재밌잖아? 그녀는 꼭 먹고 싶다며 깔깔거렸다. 그녀는 얼마나 많은 울금을 먹었을까. 글쎄, 정식으로 사표를

냈더라구. 철저히 준비했단 말이잖아? 그냥 훌쩍 사라질 때가 나왔어. 이젠 정말 개가 무섭다. 그녀의 언니는 내 전화를 받고 몹시 격앙된 목소리로 직토했다.

시나브로 어둠발이 깃들기 시작한다. 아파트 단지의 가로등불이 하나 둘 불을 밝힌다. 나는 자석에 끌리듯 터벅터벅 학원 쪽으로 향한다. 학원은 아파트 단지 끝, 한길에 인접한 상가에 위치한다.

상가 건물 앞이다. 그녀의 부재가 이제야 실감난다. 여기까지의 행보가 부질없다는 생각이 든다. 몸을 튼다. 저만치 희끄무레한 형체에 눈길이 머문다. 그녀가 '쩌그노트'라고 명명한 벤치다. 쩌그노트는 힌두어로 제례용 수레를 뜻한다. 이따금 저 벤치에 앉아 그녀를 기다리곤 했다. 보름달이 떠오른 청명한 밤이었다. 달빛이 곱게 물든 그녀의 입술이 달싹거렸다. 쩌그노트에 깔려 죽으면 천당에 간다는 전설이 있어. 근데 우리는 버젓이 올라앉아 있으니 천당 티켓은 물 건너간 거냐? 최고가 암표라도 구해봐? 흥, 나도 꿈 꿀 수 있는 자유는 있다구. 아냐, 이룰 수 없는 건 빨리 포기해야 해. 미련한 어리보기는 되기 싫어! 그녀는 내 코끝에 턱을 들이대고 줄기차게 종알거렸다. 아니 혼자서 주거니 받거니 했다. 나는 그녀의 숨결을 감지하면서 호흡이 가빠졌다. 당연히 더듬거렸다. 그, 그 그럼, 무슨 맛으로 천당에 안착해? 희로애락이 춤추는 이 세상에서 마르고 닳도록 살아야지. 맞다. 바로 그거야. 그녀는 대뜸 손뼉을 쳤다. 멋대로 별명을 지어 부를 때처럼 낄낄거렸다. 그녀는 보통명사를 고유명사로 전환하는 데 일가견이 있다. 사물의 작명뿐만 아니라 사람들도 그냥 지나치지 않는다. 내 친구 꽃미남 민재는 카놀라유, 볼이 빵빵한 진태는 통닭돼지다. 하얀 레지스땅스꽃이 만발하던 날, 나는 쩌그노트에서 방구를 빵빵거린 죄로 방구젤라가 되었다. 남아프리카공화국의 악기 '부부젤라'에서 힌트를 얻은 것이다.

아무도 없는 쩌그노트에 빈 실내화 가방이 뒹군다. 실내화 가방을 깔고 앉는다. 벤치에 앉을 때면 그녀는 꼭 타월손수건을 깔아주곤 했다. 필요 없다니깐! 나는 번번이 거절했으나 그녀는 막무가내였다. 말라깽이라도 난, 여자야. 니 엉덩이하곤 질적으로 달라. 태생부터 푹신한 쿠션 정착? 그녀는 천생 여자다. 내 곁에 가뿐히 안착하고 있어야 할 여자. 그런데 그녀는 없다. 어찌된 영문인가. 내 사고는 제자리걸음만 하고 있다. 한계에 이르렀다. 내 촉수는 어리석은 외길이었다. 그녀가 오직 집 밖으로 나도는 탐색에만 열중했다. 그리고 소설에 매진하는 그녀를 지켜보면서 그 촉수마저 과감히 접었다. 소설 속의 인물들과 교유하는 그녀가 아주 커보였다. 지구를 넘어 우주까지 그녀의 날갯짓이 닿으리라 기대했다. 응당 분별없이 떠나는 일 따위는 시시한 놀음으로 치부하리라 믿었다. 그래서 접었다고 자신했다.

자정에 임박한 시간이다. 나는 좀 지쳤다. 하릴없이 밤거리를 쏘다녔다. 누가 보아도 추레한 몰골로 아파트 단지에 들어선다. 어깨를 움츠리고 걷는데 팔다리가 떨리면서 한기가 몰려든다. 눈꺼풀이 자꾸 시야를 가리고 정신마저 몽롱하다. 곧 집에 당도한다는 안도감에 긴장이 풀렸는가. 눈을 깜박이며 정면을 주시한다. 느닷없이 불쑥 암벽이 솟구치며 시야를 가린다. 하나, 둘, 셋……. 암벽이 수를 늘인다. 내 키를 훌쩍 뛰어넘는 암벽과 암벽 사이에서 뭔가가 꿈틀거린다. 땅에 납작 엎디어 있는 동물, 공룡들이다. 한순간에 공룡들이 벌떡벌떡 몸을 일으킨다. 공룡의 큼직한 발바닥이 내 머리 위를 스친다. 금방이라도 전신이 짓밟히지 싶다. 머릿속이 하예지면서 온몸이 식은땀으로 축축하다. 나는 두 눈을 꼭 감고 허겁지겁 내뺀다.

아파트 창문에 비친 불빛이 하나 둘씩 점멸해 간다. 우리 집 창문은 아직 밝다. 담배를 입에 물고 라이터를 켜는데, 한 생각이 머리를 친다. 그녀에게 과연 소설 쓰기란 무엇이었을까. 그녀의 소설은 어떤 내용이었을까. 한 생각에 또 한 생각이 꼬리를 문다. 그녀는 원래 의뭉한 데가 있다. 인물들의 얘기를 늘어놓은 척하면서 자기 얘기를 치밀하게 서술한 건 아니었을까. 그녀의 소설을 읽는 일이 그녀를 이해할 수 있는 지름길일 수도 있다. 헌데 책상 위에는 단 한 장의 원고도 없었다. 게다가 어느 지면에 투고한다는 정보도 없고 또 투고했다한들 당선된다는 보장도 없다. 아, 그렇다. 컴퓨터……. 컴퓨터는 다행히 제자리에 붙박여 있었다. 냉장고는 열어보면서 왜 컴퓨터는 열어보지 않았던가. 나는 허공을 향해 입을 한껏 벌린다. 입 안에서 몸부림치던 담배 연기가 잽싸게 몸을 비틀며 날아간다.

떠났다, 기어이. 어디서 구했을까? 니도 들어갈 만치 큰 가방을 질질 끌고……. 현관문을 열고 막 한 발을 디디다가 움찔한다. 어머니의 얼굴빛이 너무 초췌하다. '큰'이란 말에 악센트를 주면서 말끝을 흐린다. '큰'이 아니라 '떠났다'에 악센트가 들어가야 한다는 엉뚱한 생각이 머리에 스친다. 아니다. 어머니의 화법이 옳다. 떠나는 행위는 진작부터 아버지의 일상이 아니던가. 당연히 대형 가방을 챙겨든 게 핵심 요지다. 대형 사건이다. 어머니는 묵묵히 나를 바라보다가 돌아선다. 모르겠다. 실은 아버지보다는 그녀야말로 영원히 돌아오지 않을 확률이 백 퍼센트다. 설령 돌아온대도 또 떠날 것이기에 돌아온다는 게 무의미하다는 말이다.

침대에 벌렁 드러눕는다. 크림색 천장이 구석구석까지 눈에 잡힌다. 천장과 방바닥의 넓이가 동일한데도 천장이 훨씬 좁아 보인다. 시선을 이리저리 모은다. 내 방이 분명한데 이상하게 낯설다. 책상과 책장이 니은자로 붙어 있고, 책장 옆에 옷장, 옷장 맞은편에 침대가 놓여 있다. 사방 벽면과 천장은 똑같은 크림색이다. 참 모를 일이다. 왜 눈에 들어오는 모든 현상이 이렇듯 생소한가. 아니다. 금세 의식이 바뀐다. 어디선가 본, 오랜 동안 눈에 익은 것도 같다. 나는 깊숙이 숨을 들이마신다. 창문과 방문이 모두 다 꼭꼭 닫혀 있다. 바깥 공기가 한 점도 스며들 틈이 없다. 답답하다. 내 방은 외부와 차단된 독립적이고 고정된 공간이다. 닫힌 공간이다. 어쩌면 내 방은 공간의 의미를 상실한 빈 터다. 벽이 허물어지고 창문이 떨어져 나가면 안팎의 경계는 자연히 소멸된다. 열린 공간은 열린 세상이다.

두 눈을 감고 잠을 청한다. 지평선이 존재하지 않은 끝없는 평원이 펼쳐진다. 실크로드의 바리쿤 초원인가, 몽골의 테렐지 초원인가. 평원을 가르는 말발굽 소리가 요란하다. 그녀가, 아버지가, 어머니가 그리고 또 수많은 사람들이 채찍을 휘두르며 숨 가쁘게 질주한다. 나 역시 바람의 저항을 한껏 느끼며 달린다. 나는 지금 어디로 가고 있는가. 그리고 그녀는 또 어디로 가고 있는가. 가속도가 붙은 말은 점점 더 속력을 내는데, 내 의문은 풀리지 않고 머릿속을 맴돈다. 문득 집이 그립다. 사방을 휘둘러본다. 우리 집도, 그녀의 집도 시야에 들어오지 않는다. 여전히 평원은 텅 비어 있다.

저만치 한 점 물체가 어렴풋이 나타난다. 물체는 시나브로 부풀면서 면적을 넓혀 나간다. 게르다. 외장이 알록달록한 원형의 게르는 드넓은 평원을 압도하듯 당당하다. 뿔뿔이 흩어져 달리던 모든 사람들이 하나같이 게르를 향해 돌진한다. 게르는 모든 유목민들의 구심점이라고 쓴 리포트의 한 구절이 떠오른다. 낯익은 얼굴들이 차례차례 내 곁을 스쳐간다. 그녀도, 아버지도, 나도 그들에게 뒤질세라 정신없이 내달린다. ✈

겨울, 긴 하루

한 무리의 사슴 떼가 노닌다. 걸음걸음마다 우아한 기품이 흐른다. 고고함이 배어난다. 그 정점은 단연 하늘을 향해 솟구친 머리 위의 뿔이다. 강하면서도 부드럽고, 부드러우면서도 강한 힘의 결정체다

겨울, 긴 하루

박이 핸들에 손을 얹은 채, 양쪽 사이드 미러를 주시한다. 방파제길이 몹시 조붓하다. 그렇잖아도 넉넉잖은 길인데, 양쪽 가에 차들이 즐비하게 주차되어 있다. 박이 지그시 브레이크를 밟으며 흰색 소나타 뒤에 어렵사리 차를 붙인다. 최는 조수석 문을 밀고 밖으로 나온다. 시야는 차 안에서보다 훨씬 더 뿌옇다. 해미다. 해미에 뒤덮인 바다는 구름 속에 갇힌 하늘처럼 형체가 모호하다. 일기예보는 서설을 예고했지만, 아무래도 비가 내릴 낌새다. 뭐가 보이긴 한가? 어느 틈에 박이 최의 곁으로 다가와 선다. 최는 박의 물음에 생각난 듯, 목에 걸린 쌍안경을 눈에 바짝 들이댄다. 쌍안경의 렌즈도 해미 앞에서는 별 수 없다. 한낱 보통 유리에 지나지 않는다. 새벽 댓바람에 달려온 길이 자칫 수포로 돌아갈 성싶다.

두 사람은 잠이 묻은 부스스한 몰골로 만났다. 먼저 콩나물

해장국집부터 찾아 들어갔다. 여느 날과 마찬가지로 실내는 사람들의 훈기로 따끈따끈했다. 이젠 해장국도 지겹다, 지겨워. 해장국을 앞에 놓고 박이 떨떠름한 낯빛으로 구시렁거렸다. 최는 좀 의외라는 생각으로 박을 넌지시 바라보았다. 박은 오랜 단골이었다. 자기가 해골 신세를 면한 건 그 해장국 때문이라며 얼마나 최를 끌고 다녔던가. 물론 최도 맛깔스러운 맛에 첫날 바로 반했다. 자, 빨리 먹자구. 최는 일부러 연거푸 몇 수저를 허겁지겁 입에 넣었다. 문득 날씨고 뭐고 상관 말고 무조건 떠나자던 박의 말이 떠올랐다. 최는 가만히 고개를 주억거렸다. 박의 속내가 그대로 엿보였다. 박도 최와 다름없는 상황에 몰려 있었다. 아니 훨씬 더 힘겨운 사투를 벌이고 있다는 걸 알았다.

제기랄, 다 틀렸어. 괜한 욕심을 부렸다구. 그래도 그렇지, 청둥오리라도 한 무리쯤 날아 줘야 하는 것 아닌가? 박이 불퉁스레 내뱉으며 휑하니 몸을 돌린다. 양손을 바지 주머니에 찌르고 터덜터덜 걸어간다. 어깨를 구부리고 걷는 뒤태가 영 언짢다. 안쓰럽다. 박은 앞만 주시하며 계속 한 템포를 유지한다. 최는 뒤늦게야 박을 쫓아 발을 뗀다. 그러고 보니 박은 빈손이다. 돌연 스스로가 멋쩍기만 하다. 괜히 쌍안경에 사진기까지 챙겨들었다. 최는 하마터면 지나가는 사람과 어깨를 부딪칠 뻔했다. 인파가 도심의 출퇴근 거리를 방불케 한다. 아직도 쌍안경에 열중하고 있는 사람들이 눈에 띈다. 픽, 웃음이 난다. 철새에 대한 미련을 저렇게라도 표현하는 것이리라. 최는 그들에게 야릇한 동료 의식을 느낀다. 얼핏 방파제 아래쪽으로 시선이 간다. 낚시꾼들이 듬성듬성 앉아있다. 그런데 앉은 채로 살짝 공중에 떠 있다. 시각의 유희다. 바다와 지면의 경계선이 흐릿한 데서 기인한 착각이다. 최는 그들을 주시하다가 순간적으로 허청거린다. 바로 눈앞에 승용차가 떡 버티고 선다. 전조등이 굶주린 올빼미의 눈알처럼 번득인다. 만약 승용차가 속력을 냈다면……. 간담이 서늘해온다.

는개가 흩뿌린다. 저만치 방파제 끝에서 박이 서성이고 있다. 최는 박을 향해 발을 재게 놀린다. 는개를 실은 바람이 거칠게 달려든다. 최가 눌러쓴 야구모자가 바다 저편으로 홀쩍 날아간다. 최는 머리가 허전하다 못해 가슴속이 텅 빈 느낌이다. 모자를 따라가던 눈길을 거두고 쌍안경을 들어 올린다. 여전히 시야는 빈 허공뿐이다. 지난 일요일에는 혼자 김포에 다녀왔다. 며칠 전에 본 티브이 영상이 내내 그를 유혹했다. 황혼녘이었다. 홍시빛 하늘을 배경으로 철새들의 군무가 펼쳐졌다. 황홀감에 취해 영상이 끝나고서도 채널을 돌리지 못했다. 당장이라도 사진기를 챙겨들고 어디로든지 가야 했다. 직접 날갯짓을 보고도 싶었으나, 그러한 정경을 앵글에 맞춰 아들에게 보여주고 싶은 마음이 더 컸다. 김포는 충분히 아름다웠다. 재두루미의 화려한 비상을 포착한 뒤에 노랑 빨강 부리로 멋을 낸 새물닭과도 인사를 나눴다.

잠깐만! 박이 느닷없이 최의 어깨에서 사진기를 낚아챈다. 뜻밖에 결기가 서린 눈빛이다. 렌즈 뚜껑이 열리고 줌렌즈가 길게 빠져나온다. 경쾌한 셔터소리가 빠르게 이어진다.

웬 황당 시추에이션? 텅 빈 바다에 대고 셔터라도 눌러대면, 뭐 직성이 좀 풀리시나?

이 사람이……. 바다가 텅 비어 있다니? 말도 안 되는 소리…….

최는 그만 어리벙벙한 표정으로 입을 다문다. 박이 워낙 땀직한 사람이라는 건 잘 안다. 그런데도 이런 웅짜나 선지식 투의 말을 내던질 때는 어김없이 당황한다. 선뜻 대적할 말을 찾을 수가 없다. 아니다. 설령 말이 떠올랐다 해도 지금은 기분 내키는 대로 치고나갈 상황이 아니다. 마음이 바글거린다. 박은 지금 수만 수천 길의 벼랑 끝에 몰려 있다. 소리 없는 발버둥이 훤히 보인다. 최는 박을 힐끔거리면서 애써 얼굴을 푼다.

박은 지독한 애주가와 애연가로 정평이 난 사람이지만, 늘 에너지가 넘쳤다. 타고난 건강 체질에다 성격이 호탕했다. 그런데 언젠가부터 걸핏하면 기침을 해댔다. 그리고 자꾸 등이 뻐근하다며 어깨를 앞으로 잡아당기곤 했다. 급기야 회식 자리에서 가슴을 움켜잡고 거꾸러진 일이 일어났다. 응급실을 거쳐 진료실을 드나들면서 이상 징후가 발견되었다. 거무스레한 폐의 진실. 최는 온몸이 선득거렸으나 박은 태연했다.

박의 손가락 사이에 낀 담배가 주범으로 잡혔다. 이 놈이 바로 내 숨구멍인 걸, 자넨 알잖아? 이것마저 빼앗긴다면, 내 삶은 바로 지옥행이라네. 박은 최의 충고를 귓등으로 들었다. 반강제적인 박의 금연은 매번 작심삼일에 그쳤다. 마치 최의 인내를 시험하는 데에 혈안이 된 듯했다. 최는 도살장에 끌려가는 소처럼 뻗대는 박을 기어이 정밀검사로 밀어붙였다. 결과가 나온 건 한 달 전이었다. 폐암이 확실합니다. 의사의 말소리가 진료실 벽을 텅텅 쳤다. 박의 꼿꼿하던 머리가 한순간 푹 꺾였다. 진료실을 나온 박은 최의 팔을 꽉 붙잡고 더듬거렸다.

설마 거짓은, 오진은 아니겠지? 기계가…… 최첨단 기계는 인간보다 훨씬 더 정직하니까.

그래도 얼마나 다행인가. 어서 빨리 수술 받으라니, 희망적인 거지.

최 또한 수술하면 되니 안심하라는 의사의 말을 곱씹으면서 수설수설했다. 박은 주저할 이유도 여유도 없었다. 급박하게 수술 날짜가 잡혀졌다. 열흘 뒤에 박은 수술대에 올라 암덩어리를 도려낼 것이었다.

2년 전, 최와 박은 사내 사진동아리 회식 자리에서 처음 만났다. 동병상련이랄까, 첫눈에 서로를 용케 알아보았다. 두 사람은 흔히 지칭하는 기러기 아빠였다. 소탈한 박이 먼저 손을 내밀었다. 2차로 들른 호프집에서 나올 때는 너나없이 얼굴이 불콰했다. 아름다운 영상을 위하여! 저마다 불끈 쥔 주먹을 치켜들고 동아리 구호를 외쳤다. 최도 구호를 외치고 막 돌아섰다. 누군가가 최의 어깨를 왈칵 끌어당겼다. 박이었다. 박은 사뭇 비척거리면서도 최의 어깨를 놓지 않았다. 실은 최도 알코올 갈증이 얼마쯤 남아 있었다. 텅 빈 원룸으로 직행하기에는 너무 정신이 말짱했다. 실내 공간이 탁 트인 박의 아파트는 퍽 가멸어 보였다. 니은자 소파, 러닝머신, 헬스 자전거가 즐비해도 거실이 넉넉했다. 담뱃갑만한 최의 보금자리와는 차원이 달랐다. 게다가 한쪽 벽면을 차지하고 있는 대형 사진 한 장이 눈길을 끌었다. 싱그러운 초원에 버티고 서 있는 한 마리 사슴. 사슴은 크리스마스카드를 장식하는 루돌프 종이었다. 머루처럼 까만 눈망울에 V자로 힘차게 뻗어 올라간 뿔. 그 기품, 그 포스가 만만치 않았다. 술에 쩐 최의 뇌가 번쩍 깨었다. 어때, 포스가 죽여주지 않은가? 언제 봐도 근사하단 말이야. 무엇보다도 저 뿔을 좀 보게. 얼마나 예술적인가. 굿 모델에 굿 찍사의 합작품이려니……. 박은 시종일관 사슴 앞에서 너스레를 떨었다. 그리고 언제 취했냐는 듯 말짱한 얼굴로 주방으로 가서 냉장고를 열었다. 주류 진열장이 대형 냉장고 안으로 옮겨와 있었다. 캔맥주, 소주, 와인, 위스키, 코냑, 보드카 들이 열병식을 치르는 중이었다. 선뜻 '던 힐'을 꺼내 든 박이 한쪽 눈을 찡긋했다. 알코올이 방울방울 혀에 떨어질 때마다 최는 벽에 부착된 사슴과 눈을 맞추었다. 언제 잠에 떨어졌을까. 최가 눈을 떴을 때는 가스레인지 위에서 황태국이 보글보글 끓고 있었다.

사진에 초짜인 최와 달리 박은 베테랑이었다. 구형 캐논 사진기부터 시작해 가방, 끈, 렌즈, 외다리받침대 등 이런저런 소품들을 박에게서 몽땅 물려받았다. 물론 사진 촬영의 기본기부터 기술까지도. 박은 진실로 듬쑥한 사람이었다. 최는 박의 꽁무니를 쫓아다니느라 주말이나 휴일에 무료할 틈이 없었다. 오히려 시간에 허덕였다. 아마추어로서 즐거움을 만끽하며 점점 사진에 몰입해갔다. 게다가 시애틀에 있는 가족에게 사진을 송부하게 되니 즐거움이 배가되었다. 동시에 어떤 의무감마저 그의 머리를 지배했다. 아들과 딸은 언제라도 이 땅에 돌아올 아이들이었다. 사진은 아이들의 머리와 가슴속에 고국의 이미지를 저장하는 작업이었다. 아무튼 최와 박은 기러기 아빠에서 사진이라는 매개체로 아주 끈끈한 옴살이 되었다. 알고 보니 기러기 아빠가 된 사유도 엇비슷했다.

어느 날, 최의 아내는 뜻밖에 아들 담임선생의 호출을 받았다. 발단은 한 녀석이 아들을 비롯한 반 친구 다섯 명을 학교에 고발한 것이었다. 설문조사서에서 밝혀진 내용은 무려 일곱 번의 집단 폭행이었다. 남의 얘기로만 치부해온 학교 폭력의 중심에 아들이 속해 있었다. 학교 차원에서 나온 상세한 조사서는 모든 사실을 입증하기에 충분했다. 그 과정에서 더욱 놀라운 사실이 밝혀졌다. 아들이 가해자 이전에 피해자로

서 톡톡히 왕따 당한 경험자였다. 피해자가 가해자로 돌변한 1차 원인은 복수심이었다. 최는 피고였던 아들을 생각하면 살이 떨렸다. 팔을 걷어붙이고 학교 측에 맞섰으나 결국 뒤로 물러났다. 아들의 행동이 따돌림을 피하기 위한 고육책이라는 건 변명이라는 판단이었다. 학교에서 내민 카드는 전학이었다.

난 절대로 전학 안 가! 내가 뭘 잘못했냐구! 그 동안 그림자 취급당하면서 얼마나 비참했는지, 아무도 모른다구요. 혼자 쭈그리고 점심을 먹을 때면 밥이 목구멍으로 넘어간 게 아니라 혓바닥에서만 놀았단 말예요. 방과 후엔 또 어쩐 줄 알아요? 맨날 교실에서 혼자 도둑고양이처럼 유리창 밖을 힐끔거리고……. 애들이 끼리끼리 몰려다니면서 낄낄대고 비아냥대고 발로 차고 머리를 쥐어박고, 돈까지 뺏겼어요. 내일은 죽어도 학교 가지 않을 거야. 다짐하고 또 다짐하고……. 아빤 몰라요. 그런 치욕감……. 당해보지 않은 사람은 절대 몰라요. 그냥 학교에 다니고 싶었다구요! 도대체 내가 뭘 그렇게 잘못했어요?

오기로 똘똘 뭉친 아들의 외침은 피해자의 항변이 아니었다. 최는 아들을 제대로 다독이지 못했다. 아내는 후회와 괴로움으로 자책했다. 학원 강사인 아내의 관심 대상은 항상 학원 수강생들이었다. 오직 성적 향상에 불을 켜고 2차 방정식, 로그함수, 순열 따위를 가르치기에 여념이 없었다. 아둔하고 우유부단한 최에 반해 아내는 냉정하고 과감했다. 미련 없이 학원을 나왔다. 최는 한동안 버르적거렸다. 아들의 잘잘못을 판단하는 것조차 버거웠다. 가해자나 피해자, 그 어느 쪽도 아들이 발붙일 데가 아니라는 깨달음은 한참 뒤에야 왔다. 전적으로 아내가 책사 노릇을 했다.

최형은 그래도 행복한 경우네. 난 딸아이가 죽음의 문턱까지 간 뒤에야 모든 사실을 알았으니……. 지금도 숭숭 뚫린 가슴으로 바람이 휘몰아쳐. 딸아이의 고통을 대신할 수만 있다면, 내 목숨 줄도 기꺼이 내놓을 수 있었지. 딸아이가 친구에게 보낸 동영상을 보는데…… 숨이 턱 막히더군. 나는 죽는다. 이제 날 괴롭히는 인간이 한 명도 없는 영원한 저 세상에 안착할 거야. 네게도 슬픔이나 괴로움이 있다면 내가 다 가져갈게. 넌 꼭 행복해라. 그 가냘픈 음성이라니. 그것뿐이 아니네. 딸아이가 파리한 입술로 웅절거리던 말이 지금도 귓속을 마구 후비네. 아아, 끔찍해. 코치가 달래주는 척, 툭하면 몸을 부딪치며 더듬어대는데…… 그 수치스러움, 모욕감…….

박은 두 주먹을 움켜쥐고 눈을 부라렸다.

그런 개 같은 새끼! 난 아버지도 아닐세. 청맹과니지. 라켓을 움켜쥐고 그저 신나게 뛰어다닌 줄만 알았다니깐. 지옥 훈련과 체벌도 모자라 성희롱에까지 시달리는 걸 누가 알았겠냐구. 그날, 연락 받고 정신없이 아파트 옥상으로 향하는데, 발에 바퀴라도 달린 듯 순식간에 당도했지. 아, 맨발로 동상처럼 서 있던 내 딸…….

박은 한 차례 부르르 어깨를 떨었다.

최는 문득 그때의 박처럼 어깨를 떤다. 그래도 그 당시의 박은 마음에 시꺼먼 멍은 들었을망정, 몸은 건강했다. 박은 꿈쩍도 하지 않고 여전히 빈 바다에 렌즈를 들이대고 있다. 도대체 박은 지금 무엇을 보고 있는가. 최는 박의 눈길을 더듬어 눈을 치뜬다. 모르겠다. 뜬금없이 오 상무의 야비한 얼굴이 어른거린다.

지지난 금요일 퇴근 시간대였다. 최는 난데없이 명예퇴직 대상이라는 통보를 받았다. 사십 대 중반은 자타가 인정하는 한창 일할 나이였다. 생각에 생각을 거듭해도 억울하고 분했다. 가래고야 말 요량으로 한달음에 오 상무의 방으로 달려갔다. 오 상무는 회사 사정 운운하면서 고자세를 취했다. 불뚝성이 일었다. 단번에 멱살을 잡고 메치기로 때려눕히고만 싶었다. 가까스로 마음을 다잡았다. 행여 명예퇴직 대상에서 제외될 길이 있을는지도 몰랐다. 마른 침을 꿀꺽 삼켰다. 그렇잖아도 가족의 생활비에 목이 조여드는 판이었다. 학비도 처음 가늠한 액수보다 훨씬 웃돌았다. 최의 월급을 통째로 보내야 할 형편이었다. 온 가족이 무너지는 것은 시간 문제였다. 무엇보다도 자식들이 정처 없이 떠돌는지도 몰랐다. 궤도를 이탈한 위성처럼. 철저한 준비 없이 서둘러 떠나보낸 게 후회막급이었다.

여보, 긍정적으로 생각해요. 다 잘 될 거야. 일요일 아침에 주혁이 클래스메이트들이 축구공을 들고 찾아왔는데, 어쩜 주혁이가…… 경주마가 따로 없더라구요.

오 상무와 대면하기 전날, 아내의 전화를 받았다. 아내의 목소리는 경쾌했다. 최는 아들의 메일을 통해 나름 간파하고 있었다. 아들은 이제 정서적으로 안정감을 되찾은 듯했다. 그런데 의외의 복병이 도사리고 있을 줄이야. 전화를 끊지 않고 머뭇머뭇하던 아내가 딸을 들먹였다. 아들보다 세 살 위인 딸은 소위 범생이었다. 웅숭깊은 데도 있었다. 동생에게 묻어 억지로 떠나면서도 불만을 내보이지 않았다. 제겐 오히려 미국식 교육이 이상적이에요. 패션디자이너를 꿈꾸는 딸은 보조개가 패도록 활짝 웃었다. 그런 딸이 시간이 지날수록 자꾸 엇나갔다.

당신도 알잖아요? 주미가 얼마나 참하고 순진한지. 그런 애가 왜 그렇게 벋나가는지 정말 골치가 지끈거려요. 불안해요. 어디서부터 어떻게 잘못된 걸까요?

아내는 딸이 친구의 생일 파티장에서 마리화나를 피운 사실을 털어놓았다. 이미 학교에서 문제화되었다며 울먹거렸다. 최는 전화를 끊은 뒤에도 한동안 마음이 진정되지 않았다. 천장이 빙글빙글 돌았다. 뒤통수라도 된통 얻어맞은 듯 멍했다. 박을 불러내 소주잔이라도 기울이고 싶었으나 박의 병이 너무 깊었다. 베란다 난간에 기대어 줄담배를 태웠다.

재채기가 쏟아졌다. 최의 심장이 타들어갔다. 별 하나 뜨지 않은 밤하늘도 최의 가슴처럼 깜깜했다. 절망감이 엄습했다. 그때였다. 저 멀리 아스라이 먼 곳에서 한 점 별빛이 반짝거렸다. 짙은 어둠 속에 모래알처럼 작은 별 하나가 숨어 있었던 것이다. 최는 별빛에 두 손을 모으고 기도하는 자세로 각오를 다졌다. 아버지로서 최선을 다하는 거다.

최는 자기도 모르게 양손을 맞잡고 부르쥔다. 뼈마디가 으스러지는 소리에 정신이 번쩍 든다. 퇴직이라니, 당치도 않아. 난, 아직 건재하다구. 최는 바다에 머문 시선을 거두며 박을 바라본다. 박의 눈도 최를 향해 있다. 최는 단호한 어투로 내뱉는다.

차라리 일찍 올라가는 게 낫겠네. 괜히 우물쭈물하다간 고생길이 빤하지 싶네.

그럴까? 그래도 빈손으로 민숭민숭 돌아가기엔 좀 애운한데? 참, 여기서 가까이에 우리 형네 목장이 있네. 꿩 대신 닭이라고, 멋진 사슴뿔이라도 찰칵, 어떤가?

최의 눈이 똥그랗게 커진다. 순간 박의 거실 벽에 부착된 사슴이 삼삼하다. 뿔을 자르기 직전 6월엔가 어렵사리 얻은 사진이라고 했다.

그럼, 자네 집에 있던 그놈이 형네 목장 식구인가?

오케이.

헌데 이 겨울에도 그놈들이 고이 뿔을 달고 있는가?

당근이지. 놈들이 뿔을 내걸고 혹독한 추위와 맞서고 있을 걸세. 우리 형이 함부로 뿔이나 팔아먹는 악덕 목장주는 아니라네.

최는 잰걸음으로 앞장을 선다. 발걸음이 가볍다. 왠지 아이들이 날개를 파닥이는 작은 새보다 뿔이 근사한 사슴을 더 좋아할 것 같다.

시야가 온통 산으로 막혀 있다. 바로 곁은 아니더라도, 첩첩이 산으로 둘러싸인 길을 달린다. 겨울산은 솔직 담백해서 매력적이다. 진정성이 있다. 있는 그대로의 골격을 한 치의 과장 없이 적나라하게 선보인다. 목장으로 향하는 길은 의외로 한산하다. 최는 모처럼 편안하고 느긋한 심정이 된다. 슬그머니 박을 훌끔거린다. 박은 모범 기사의 자세로 핸들을 움켜잡은 채 앞만 주시한다. 손등의 핏줄이 유난히 울퉁불퉁 도드라져 보인다. 암세포의 공격에 방어하는 피돌기인가. 최는 시선을 속도계로 비킨다. 바늘이 계속 상향곡선을 그리는데, 빗방울이 앞 유리에 뚝뚝 떨어진다. 이제 차는 큰길을 벗어나 샛길로 들어선다. 차의 속도가 급격하게 떨어진다. 마침내 '건영 목장'이라고 쓰인 낡은 표지판이 나타난다. 군데군데 페인트칠이 벗겨진 표지판에 추적추적 빗물이 듣는다. 제법 널따란 억새밭이 한 쪽 길가에 바짝 붙어있다. 비에 젖은 메마른 억새는 더없이 추레하다. 인적도 없이 비 내리는 겨울의 목장 길은 마냥 스산하고 황량하다.

최와 박을 반기는 첫 번째 목장 식구는 젖소들이다. 박은 우사에 못미처 앞마당에 차를 세운다. 우람한 덩치의 점박이 젖소들, 그 반응이 좀 요란하다. 코를 킁킁대며 울음소리를 높인다. 최는 비를 피해 우사 지붕 안으로 들어섰다가 금세 뒤로 물러난다. 양손으로 코를 비틀어 쥔 채로. 귀 따가운 소리는 차라리 애교로 넘길 수 있다. 숨 쉬기가 너무 버겁다. 짐승 특유의 누린내가 어떤 냄새라는 걸 실감한다. 박은 우사 앞으로 성큼성큼 다가간다. 우사 안에 있던 젊은 목부가 쪽문을 열고 나온다. 두 사람을 본 체 만 체하고 우사 뒤로 가버린다. 무릎까지 올라온 검정 고무장화에 흙이 덕지덕지 묻어 있다. 그러고 보니 우사 바닥이 개펄처럼 질펀하다. 뒤에서 인기척이 난다. 양손에 들통을 든 목부가 화들짝 놀라며 박에게 허리를 굽힌다. 족히 일흔은 됨직한 목부다. 굵은 주름이 골골이 꽤 깊다.

아이쿠, 워쩐 일이대유? 사장님은 읍내에 출타 중이라 저녁참에나 오실 낀디……. 사장님헌티 연락은 하셨남유?

아닙니다. 지나가는 길에 그냥 들른 겁니다. 신경 쓰지 말고 일보세요. 잠깐 저쪽 사슴 우리에나 가보겠습니다.

목부는 잠시 기다리라며 들통을 내려놓는다. 우사에서 가까운 집 안으로 열쌔게 달려간다. 입구에 위치한 목장주인 집에 비해 작고 초라하다. 돌아오는 목부의 손에 우산 두 개가 들려 있다. 우사를 뒤로 하고 박이 앞장선다.

두 사람의 발소리와 우산에 떨어지는 빗소리가 듣기 좋은 화음을 이룬다. 화음은 주위의 정적을 깬다. 모퉁이를 돌아선다. 저만치 언덕 언저리에 자리한 사슴 우리가 보인다. 아마도 목장의 끄트머리지 싶다. 목장주인의 이층집에서 출발한 목장의 규모가 대충 그려진다. 사슴 우리만 멀리 떨어져 있다. 점점 사슴의 형상이 또렷해지기 시작한다. 사슴뿔을 직접 손으로 잡고 당겨볼 수도 있으려나. 최는 사슴 무리에 섞여 유유히 평원을 누비는 상상을 한다. 상상은 한 찰나에 산산조각이 난다. 코를 파고드는 냄새 탓이다. 우사에서보다 훨씬 더 강한 냄새다. 비릿함, 쾨쾨함……. 역시 덩치로 우열을 가리는 게 아니다. 덩치보다 센 것이 체취다. 최는 눈살을 찌푸리며 한 손으로 입과 코를 감싼다. 비위가 상하다 못해 울컥 욕지기가 올라온다.

아이고, 허우대는 멀쩡한 사람이 물컹이 같기는……. 괜히 예민한 척 하지 말게나. 아무렴, 사슴만 할까. 그러니까 지금, 사슴이 먼저 최형을 느꼈을 거란 말일세. 낯선 사람에 대한 뛰어난 감각이나 경계……. 아마 동물 중에서 사슴이 으뜸일 걸? 자, 좀 더 가까이 가보자구.

박이 비웃적거리며 최의 어깨를 툭 친다. 최는 엉겁결에 얼굴에서 손을 뗀다. 문득 사슴의 몸체가 한 폭의 채색화처럼 보인다. 암갈색 전신에 흩뿌리듯 희끗희끗 서리가 내려앉았다. 궁둥이는 백색의 긴 털로 백반을 그렸다. 만일 딸이 함께 왔다면, 이 색감에 어떤 표정을 지을까. 딸은 워낙 색감에 남다른 재능을 지녔다. 최는 딸에 대한 생각으로 냄새 따위는 망각한 듯하다. 콧방울을 벌름거리며 숨을 몰아쉰다. 그렇다. 채색의 문제가 아니다. 딸도 순식간에 사슴의 눈망울 속으로 풍덩 빠져들었을 터다. 아침이슬처럼 맑고 영롱한 까만 눈망울. 싱그러운 초원에 쏟아지는 햇살. 한 무리의 사슴 떼가 길고 곧은 다리를 뻗으며 노닌다. 그 걸음걸음마다 우아한 기품이 흐른다. 고고함이 배어난다. 그 정점은 단연 하늘을 향해 솟구친 머리 위의 뿔이다. 강하면서도 부드럽고, 부드러우면서도 강한 힘의 결정체다. 사슴 우리에 근접한 최는 한 발짝 더 가까이 다가선다. 정말 뿔을 한번 잡아보고 싶은 욕구가 인다. 두 팔을 앞으로 쭉 뻗는다. 우산이 등 뒤로 나동그라진다. 어, 이놈들 봐라? 박의 목소리에 최는 정신이 번쩍 든다. 눈을 깜박거리며 황급히 주위를 휘둘러본다. 낌새가 수상쩍은데? 박의 어조가 낮게 깔린다. 얼핏 사슴들의 동요가 느껴진다. 사슴들이 대뜸 발을 들어 올리며 우왕좌왕 날뛴다. 덩치가 크고 뿔이 여러 갈래로 솟은 녀석이 제일 먼저 후다닥 달아난다. 그 뒤를 좇아 사슴들이 모두 달리기 시작한다. 사슴들의 발소리가 말발굽 소리처럼 우렁차다. 놈들은 쪽문을 통해 분주히, 질서정연하게 들락거린다. 원래 한 칸인 사슴 우리. 아래에 쪽문을 단 칸막이를 중간에 세워 두 칸으로 만들었다. 한 서너 바퀴를 돌았는가. 한순간 사슴들의 발소리가 잦아든다. 잘 훈련된 훈련병이 따로 없다. 모두들 제자리로 돌아와 숨을 돌린다. 그리고 꼿꼿이 목을 세우고 두 사람을 흘낏 바라본다. 몇 분이나 지났을까. 사슴들은 다시 또 달리기에 들어간다.

저놈들 지능이 대체 어느 정도일까? 아니 지능보다는 감각 쪽으로 봐야 옳은가?

박은 최의 말을 못 들었는지 대꾸가 없다. 시무룩한 표정으로 혼잣말을 한다.

왠지 첫눈에 우리가 넓어 보인다 생각했지. 사슴들 수가 상당히 줄어든 게 틀림없어. 다들 어디로 갔을까.

사슴들이 없어졌단 말인가? 아마 딴 목장에 판 거겠지, 뭐.

박이 최를 물끄러미 바라보다가 머리를 절레절레 흔든다.

아닐세. 우리 형이 한꺼번에 많은 사슴을 팔 리가 없네. 그만 가세.

박이 냉랭한 얼굴로 휑하니 돌아선다. 박의 등에서도 싸늘한 바람이 인다. 박은 우산도 펴지 않고 비를 맞으며 걸어간다. 최는 박을 불러 세우지도 못하고 우물쭈물한다. 하마터면 잊을 뻔했다. 최는 부랴부랴 사슴들을 향해 렌즈를 들이댄다. 맞춤하게 맨 앞서 달리던 우두머리가 렌즈 안으로 들어온다. 초점을 맞춘 찰나, 녀석이 잽싸게 렌즈에서 이탈한다. 셔터에 손을 올린 채 최는 멍하니 사슴들을 바라본다.

한밤의 목장은 깊은 산속의 암자를 연상시킨다. 적막감이 감돈다. 동물들도 때를 알아 죄다 잠에 떨어졌는가. 비가 그치고 어둠길에 달려온 진눈깨비마저 함박눈에게 자리를 내주었다. 이제는 탐스러운 눈송이만 펑펑 쏟아진다. 박의 형은 함박눈을 맞으며 돌아왔다. 최는 눈으로 샤워를 하며 마당을 한 바퀴 돌아본다. 뺨에 닿는 눈의 촉감이 차갑기는커녕 따스하고 시원하다. 묵은 때가 말끔히 씻기는 기분이다. 오늘 하루는 날씨의 전시장이었다. 한 컷 한 컷 변화하는 날씨의 모습을 여과 없이 보여주었다. 안개, 는개, 비, 진눈깨비를 거쳐 함박눈까지. 역시 일기예보는 적중했다. 함박눈은 분명 서설이다. 최는 현관 앞에 서서 머리부터 발끝까지 양손바닥으로 눈을 훑는다. 젖은 손바닥을 비비대며 다시 거실로 들어간다.

박의 형이 돌아온 초저녁부터 술판이 벌어졌다. 최와 박과 목장 식구 모두가 널찍한 먹감나무 다탁을 중심으로 빙 둘러앉았다. 목장 식구래야 박의 형을 제외하면 목부 세 사람이 전부다. 박의 형네 가족은 서울에, 목부들의 가족은 읍내에 살고 있다. 최는 티셔츠의 팔을 걷어 올리며 슬쩍 엉덩이를 뒤로 뺀다. 계속 위로 치솟던 벽난로의 잉걸불은 시나브로 숙지근해진다. 최의 가슴속은 여전히 활활 탄다. 최는 술잔을 들고 엉거주춤 몸을 일으킨다. 거실 전면의 통유리 벽에 바투 붙어 선다. 시야는 눈 세상이다. 사철나무 울타리, 배롱나무 빈 가지, 납작한 막돌계단……. 제법 눈이 쌓였다. 벌거벗은

천지의 풍광에 깔끔한 백색 옷이 입혀졌다. 최는 술잔을 입술에 대고 한 입에 술을 털어 넣는다. 눈 무더기가 쏟아진 듯, 갑자기 정수리가 차갑다. 마음이 휘휘하다. 아까 방파제에서 정말 철새 한 마리 구경하지 못했는가. 시야가 제아무리 뿌예도 철새는 난다. 때마다 둥지를 틀던 녀석들이다. 대체 무슨 반란을 일으켰는가. 혹시 그 터전을 망각하고 엉뚱한 곳에서 헤매는가. 어딘가에서 헤매고 있다는 것은 그곳에 아예 철새가 깃들지 않았다는 말이다. 초조하다. 누군가에게 쫓기는 심정이다. 최는 그만 도리머리를 하며 고개를 돌린다. 박이 최를 쳐다보고 있었다. 두 사람의 눈이 충돌한다. 박은 미간을 잔뜩 찌푸리고 마른 오징어를 올근볼근 씹는다. 최는 박의 눈언저리에 감도는 써늘한 기운을 감지한다. 최가 다탁으로 다가가는데 박의 형이 입을 연다.

시월 내내 산을 뒤지며 헤매고 다녔다. 용케 미치지 않고 견뎠다. 아까 사슴 우리에 가 봤다면서? 우리 안이 헐렁헐렁하지? 남아 있는 놈들이 도합 스물두 마리니까, 정확히 열네 마리가 실종됐단 말이지. 목장 생활 이십오 년 만에 이런 해괴한 일은 처음이다.

형님, 도대체 문을 열어놨다는 목부가 누굽니까? 어떤 어리뜩한 인간이냐구요!

가을걷이 중에 손이 딸려 급조한 사람이지. 말은 또 청산유수라, 지놈이 뭐 대관령 엘크 목장에서 일한 경험이 죄래나?

그쪽 사슴으로 착각해 들로 산으로 내쫓아 풀을 뜯기려 한 것뿐이라고 어찌나 기세등등하던지……. 당장 내치고 싶었으나 꾹 참았다. 사슴들을 찾는 게 급선무였으니까. 행여 사슴들이 산속을 헤맨다는 소문이라도 나봐라. 사냥꾼들 등쌀에 저 산은 진작 사단이 나고도 남았다.

근데, 목장에 그 사람 그림자도 없는 걸 보니, 내쳤나보죠?

웬걸유? 얼매나 검질긴지, 거머리가 따로 없다니께유. 평생을 일해서라도 사슴 값을 갚은대나유? 어제 읍네 자기 집에 갔슈. 낼모레면 어슬렁어슬렁 기어들어올 거구만유.

박의 맞은편에 앉은, 짙은 구리빛 얼굴 목부가 냉큼 박의 말을 받는다. 박이 말없이 손으로 입술을 훔치고, 우산을 챙겨주던 목부에게 술을 따른다. 잔을 받은 목부가 곧바로 박의 잔을 채운다. 박은 무슨 심사인지 주는 대로 받아 마시고 있다. 벌써 몇 잔째인지 모른다. 최는 박이 마음겨워 안절부절 못한다. 막무가내로 박의 잔을 뺏고 싶다. 차라리 박의 병명을 발설해버릴까. 박은 입술을 씰룩이며 호기롭게 잔을 비운다. 최는 머리가 너무 혼미하다. 딸의 아픔을 대신할 수만 있다면 가슴에 구멍이 뚫려도 좋다던 박이었다. 그런 박의 가슴에 실제로 구멍이 뚫려 있다.

사냥꾼들이 난사해대는 총소리……. 그 웬수놈의 총소리 땜에 날밤을 새운 걸 생각하면, 정말 지긋지긋하다. 지금도 오금이 다 저려. 낙엽이 나뒹굴고 산이 그 속을 까발리기 시작하니 비로소 환청이 사라지더구나.

박의 형 얼굴에 언뜻 짙은 그림자가 스친다. 최는 심호흡을 하면서 앙가슴을 쓸어내린다. 그런데 엉뚱하게 야릇한 쾌감이 스멀스멀 올라온다. 산소가 충만한 것처럼 머릿속이 말끔해지고 목이 홧홧해온다. 최는 고개를 숙이고 히죽거린다. 골짜기를 따라 맹속력으로 달아나는 사슴 떼가 선명한 영상으로 아른거린다. 사슴 발에 밟히는 낙엽소리가 정겹게 귀를 간질인다. 비록 철저히 길들여졌다 해도 사슴은 본래 야생이 아니던가. 조상의 터에 코를 묻을 수 있는 절호의 기회. 굶주림이나 총부리가 무슨 대수던가. 최는 박을 할금거린다. 한쪽 눈을 찡긋하며 배시시 웃음을 흘린다. 순간, 날을 세운 박의 눈길이 매섭게 형을 노려본다.

웬 횡재냐? 웬 자유냐? 보나마나 놈들이 울에서 뛰쳐나갈 땐 분명 희희낙락했겠죠. 하지만 태생부터 길들여진 놈들입니다. 이 겨울을 무사히 날 것 같습니까? 어림없어요. 십중팔구 얼어 죽든지 굶어죽기 십상이죠. 그런데 뭐, 기껏 한 달 만에 포기했다구요? 말이 되는 소리를 하세요. 사냥꾼들을 두려워할 게 아니라, 역으로 전문사냥꾼들을 동원해야 했습니다! 더 적극적으로 찾아나서야 했단 말입니다!

취기가 잔뜩 오른 박의 부르대는 목소리가 실내에 쩡쩡 울린다.

객쩍은 소리 작작해! 목장에 생무지인 니가 뭘 안다고 나서? 난, 최선을 다했어. 누가 뭐래도 그놈들은 금쪽같은 내 재산이야. 혼신을 다해 악착같이 찾아다녔단 말이다. 허나 흔적도 없이 사라져버린 걸 어떡해!

그걸 말이라고 합니까? 형님은 큰 죄를 졌어요. 생명을 함부로 몰살시킨 거란 말입니다. 그 불쌍한 놈들은 하마 다 고꾸라졌을 겁니다. 아, 혹시 명줄이 붙어있는 놈이 있다면……. 지금도 늦진 않았죠. 혹한이 몰아치기 전에 반드시 그 가련한 놈들을 붙잡아오란 말입니다.

생명? 생명 같은 소리하고 있네. 그놈들은 짐승이야. 짐승의 감각에 인간이 얼마나 무력한 존재인 줄 알기나 해?

틀렸어요, 형님은. 그 생각부터 뜯어 고쳐야 한단 말입니다. 한번 애정을 가지고 남아 있는 놈들을 들여다보세요. 그 비리비리한 꼬락서닐요. 식구들을 잃고서 무슨 낙이 있겠냐구요!

식구? 너, 말 잘했다. 너나 잘해 인마! 이국땅에 처자식을 내팽개친 주제에 무슨 말이 그렇게 많아?

누가 누굴 팽개쳤단 말입니까?

나도 알 건 다 알아 인마! 민이는 겨우 적응이 됐다지만, 이번엔 수이가 또 학교를 옮겼다며?

박이 비틀비틀 몸을 세우는데, 얼굴이 창백하다. 박의 형도 기다렸다는 듯 벌떡 일어선다. 박이 형을 향해 종주먹을 지른다. 순간 형의 손바닥이 먼저 박의 뺨을 후려친다.

무더기로 흰빛이 쏟아진다. 최는 손사래를 치다 말고 후다닥 잠자리에서 일어난다. 정신이 몽롱하다. 꿈인지 현실인지 어리머리하다. 모호하기만 하다. 온통 흰색에 싸인 공간이 한없이 낯설다. 그대로 자리에 주저앉아 몇 차례 심호흡을 한다. 도대체 간밤에 얼마나 술을 마셨던가. 어렴풋이 술자리가 떠오르는데 상막하기만 하다. 어제는 무척 긴 하루였다.

방 안을 휘둘러본다. 한쪽에 텅 빈 이부자리가 밀쳐져 있다. 형을 향해 멧돼지처럼 돌진하던 박을 끌어안다시피 하고 방에 들어왔다. 최의 온몸은 땀으로 끈적거렸다. 그때가 몇 시였던가. 박은 방바닥에 등이 닿자마자 잠깐 코를 골더니, 한순간 불쑥 일어나 앉았다. 그리고 끈질기게 주정을 떨었다. 식지 않는 박의 에너지……. 최는 의구심으로 더 괴로웠다. 박이 정말 병마와 싸우는 환자가 맞는가. 아니면 최후의 발악인가. 디지털시계가 숫자 3을 그렸다. 내용은 옹송옹송하나 그때까지 주정은 잔주하는 말로 이어졌다. 최는 자꾸 선하품이 나왔다. 박이 먼저 옆으로 곤드라지고 최도 통잠에 떨어졌다.

최는 창문을 열어젖히고 머리를 밖으로 내민다. 새하얀 눈 외에는 아무것도 보이지 않는다. 어젯밤보다 더 눈부신 눈세계다. 어두운 밤의 눈세계가 고아하고 복합적이라면, 밝은 아침의 눈세계는 신선하고 단순하다. 마당으로 내려선다. 눈에 폭 파묻힌 박의 승용차가 거대한 은빛 덩어리로 빛난다. 그런데 박이 눈에 띄지 않는다. 마당비로 눈을 쓸던 일흔 남짓한 목부가 입술을 달싹인다. 입김이 풀풀 날린다.

새벽 어스름 달구리에 봤지유. 화장실에서 나오는디 누가 산으로 휘청휘청 올라가더구만유. 지금 생각허니, 그 뒷모습이 영락없시유.

지금 무, 무슨 말입니까? 언제 누, 누가 산에 올라갔다는 건데요?

다가오던 박의 형이 눈을 깜박이며 말을 더듬는다. 박의 형은 곧장 산길을 향해 내달린다. 최가 그 뒤를 좇고 목부들도 줄줄이 따라나선다. 돌연 박의 형이 몸을 돌려 최에게 다가온다. 최의 어깨를 지그시 누르며 등을 떠민다. 집에서 기다리라고 한다. 대체 박은 지금 어디에 있는가. 간밤의 술기운이 폭풍우가 되어 머리를 친다. 현기증이 인다. 어제의 긴 하루가 아직 끝나지 않았다. 지금 이 시각은 어제의 연장선에 있는 어제의 시간이다.

최는 마당가에 혼자 우두커니 서 있다. 마당 한가운데에는 목부가 내던진 마당비가 자빠져 있다. 햇살은 점점 더 탄탄하게 몸을 조이며 쏟아진다. 눈이 아리다. 마당비를 자리 삼아 털버덕 주저앉아 눈을 감는다. 어디선가 발소리가 흐리마리하게 들리는데, 몰칵 코를 찌르는 냄새를 수반한다. 짐승 특유의, 바로 그 냄새다. 숨을 길게 내쉬며 소리 나는 쪽을 향해 시선을 돌린다. 이럴 수가……. 최는 양손으로 눈을 비비댄다. 가슴이 벌렁거린다. 온몸에 눈을 뒤집어쓴 새하얀 사슴떼가 몰려오고 있다. 당당하게 뻗친 뿔도 몸체와 똑같이 하얗다. 사람이 보인다. 낯익은 한 사람, 박이다. 그것들의 선봉에 박이 있다. 박의 머리에도 기묘하게 뻗어 올라간 뿔이 나 있다. 그들과 박의 거리가 점점 더 좁혀진다. 박이 휘황찬란한 관을 쓰고 있다. 박의 뿔은 금관이다. 기세가 등등한 사슴들과 박의 머리에서 번쩍번쩍 빛이 난다. 최는 온 힘을 다해 빛 속으로 뛰어든다. 빛은 거대한 블랙홀이 되어 단숨에 최를 빨아들인다. 최는 몸이 옥죄이는 느낌에 움찔한다. 사지를 버둥거리며 정수리를 위로 솟구친다. 최의 몸이 공중 부양하듯 들리는가 싶더니 한순간 낙하하고 만다. 최의 눈이 절로 떠진다. 앞을 가로막고 있는 박의 승용차가 한눈에 들어온다. 앞유리 귀퉁이에 쌓인 눈이 한 움큼 흘러내린다. 불현듯 한 생각이 스친다. 최는 손으로 급히 사방 유리의 눈을 쓸어내린다. 차 안에는 박이 없다. 심장박동이 빨라진다. 최는 정신없이 마당을 가로질러 달린다. 간밤에 마주앉아 횡설수설하던 박의 말, 퍼즐 조각처럼 흩날리던 단어들이 차례차례 제자리를 찾아간다. 박의 내밀한 목소리, 아니 신념에 찬 목소리가 최를 압박한다.

내 가슴은 바람 제조기라네. 가슴에서 바람이 마구 불어오네. 터널처럼 뻥 뚫린 구멍에서 회오리바람이 일어난단 말이네. 동이 트면 난, 저 산골짜기에 처박혀 있을 걸세. 내가 이 두 눈으로 틀림없이 봤단 말이네. 안절부절못하고 서성이는 놈들의 그림자를……. 그림자 안에는 당연히 실체가 숨어있는 법 아닌가? 내가, 내가 단 한 놈이라도 기어이 데려올 걸세.

사람들의 발자국이 어지럽게 흩어져 있다. 최는 재바르게 또렷한 발자국을 찾아 그 위에 자신의 발을 조심조심 옮겨간다. 두 갈래 길이 나온다. 한쪽 길은 왔던 길과 같은 발자국으로 어지럽고 또 다른 한쪽 길은 매끄럽게 윤이 난다. 누가 나무판자라도 끌고 간 것인가. 누가 미끄럼을 타기라도 한 것인가. 최는 고개를 들고 입을 앙다문다. 찬 공기가 콧등을 핥고 달아난다. 최는 다시 한 번 마음을 다잡는다. 지구 끝까지라도 추적할 자신이 있다. 발자국이 없는 길로 몸을 틀고서 괴발디딤을 한다. 서너 발짝쯤 떼는데, 누군가에 떠밀린 듯 상체가 기우뚱거린다. 종아리가 떨리면서 하체에 기운이 쑥 빠져나간다. 최는 그만 엉덩방아를 찧으며 나동그라지고 만다. 안 돼! 발에 힘을 모으고 사방을 두리번거리지만, 붙잡을 수 있는 나무 둥치 하나 없다. 빈 허공에 뻗친 팔이 나뭇가지처럼 흔들거린다. 찰칵, 하는 셔터소리가 꿈속처럼 아스라이 들려온다.

다시 그 자리

악어의 유별난 모성애에 관해서 찰스는 제대로 파악하고 있었다. 악어는 산란을 하고 휴식을 하지 않는다. 죽을힘을 다해 낑낑대며 흙이나 나뭇잎들을 알 위에 덮는다. 새끼가 부화하면 아예 입 안에 넣고 지내다가 수초가 무성한 곳을 찾아 꺼내놓는다

다시 그 자리

5월의 마이애미는 생각보다 훨씬 더 무덥다. 버스 안에 있어도 쨍쨍한 햇볕이 그대로 감지된다. 유리창이 금세라도 흐물흐물 녹아내릴 듯하다. 저만치 대형 글자판이 눈에 들어온다. 에버글레이즈 국립공원(Everglades National Park). 그녀는 얼음물을 한 바가지 뒤집어 쓴 듯 정신이 번쩍 든다. 마침내 오긴 왔구나. 안도감과 불안감이 동시에 고개를 든다. 어쨌든 풍광만으로도 물설지만 일단 부딪쳐 보는 거다. 출발하기 전에 다진 마음을 다시 또 다진다. 한낮의 습지가 저절로 떠오른다. 금세 눅눅하고 음습한 냄새가 번져난다. 정말 그곳에는 이파리를 축 늘어뜨린 식물들이 뿌리박고 있을까. 무시무시한 돌기가 돋은 악어들이 꿈틀대고 있을까. 문득 찰스가 읊조리던 시구가 귓전을 맴돈다. 삶은 꿈꿀수록 작아진다. 모호하던 그 의미를 얼마 전에야 어렴풋이나마 깨우쳤다. 가슴을 짓

누르고 있던 버거운 물체를 내려놓고 공중부양이라도 한 것 같았다. 홀가분했다. 더는 꿈꾸지 않을 자신감에 충만해 무작정 짐을 꾸렸다. 마음을 다잡고 찰스에게 전화를 했다.

버스는 유연히 주차장으로 들어서서 가뿐하게 주차한다. 드넓은 주차 공간이 학교 운동장을 연상시킨다. 앞자리에 앉은 덩치 큰 백인 남자의 상체가 꾸물꾸물 움직인다. 아이는 아직도 잠에 취해 있다. 여전히 평화로운 꽃밭을 날아다니는 꼬마요정의 얼굴이다. 나미야, 다 왔어. 그녀는 아이의 등을 다독거린다. 아이가 앙증맞은 주먹으로 눈을 비비댄다. 아이의 눈꺼풀이 서서히 열린다. 우리 나미 깼네? 그녀는 아이의 탱탱한 볼에 뽀뽀를 한다. 아이의 투명한 눈동자가 그녀를 빤히 바라본다. 순간 그녀는 낯선 느낌에 흠칫 놀라며 쩔쩔맨다. 참 야릇하다. 수없이 보고 또 보아온, 수정처럼 맑고 푸른 눈동자가 아닌가. 그녀는 허둥지둥 숄더백을 메고 아이를 안아 올린다.

대기는 바람 한 점 없이 건조하고, 해는 작정하고 나선 듯 불기운을 쏟아낸다. 그녀는 일단 아이를 땅에 내려놓고 호흡을 가다듬는다. 엄마, 눈이 안 떠진단 말이야. 어떻게 걸어가는 거야? 아이는 미간을 잔뜩 찌푸리고 투덜댄다. 얼핏 아이의 눈꺼풀이 파르르 떨린다. 그녀는 마른침을 꿀꺽 삼킨다. 숄더백에서 아이의 샛노란 벙거지를 꺼낸다. 아이의 눈과 그녀의 눈이 맞부딪친다. 그녀는 찰스를 꼭 닮은 아이의 눈을 외면한다.

그녀는 아이의 눈이 정말 싫었다. 푸른빛이 감도는 눈동자만 아니라면, 모든 상황은 순조로웠을 것이다. 물론 아이는 언제 어디서나 또래들과 잘 어울렸을 터다. 화선지에 떨어진 한 점 먹물처럼 티가 날 리 없었다. 똑같은 푸른 눈동자가 그처럼 다른 반향을 일으킬 줄 몰랐다. 찰스의 푸른 눈동자는 거부할 수 없는 원초적 매력이었다. 당신의 눈동자에 건배! 그녀는 고전 영화 '카사블랑카'의 명대사를 나직이 속삭였다. 그 눈동자에 첨벙 빠지기를 갈망했다. 지금 생각해도 낯간지럽기만 한, 애교를 넘어 교태까지 부렸다. 출산 후, 아이의 눈꺼풀이 처음 열리던 순간에도 감격에 겨워 울컥했다. 찰스에 비할 바가 아니었다. 더없이 맑고 사랑스러웠다. 아이는 크고 예쁜 눈을 반짝이며 아장아장 걸었다. 그때까지만 해도 다행히 머리칼은 까맸다. 유일하게 그녀의 DNA가 숨어 있는 머리칼. 신기하고 고마웠다. 그런데 그 DNA가 죽어갔다. 흑발이 서서히 금발로 물들기 시작했다. 아이가 세 살 때였다.

그녀는 묵묵히 아이를 향해 시선을 떨어뜨린다. 모자를 쓴 모습이 동화 속의 어린 공주처럼 예쁘다. 무엇보다도 그녀와 아이가 속한 관광단에서는 아이가 전혀 낯선 모습이 아니다. 그들에게는 그녀만이 낯설 뿐이다. 그녀는 이 사실, 이 어울림이 지극히 편안하다. 주변에서 들리던 발소리들이 잠잠하다. 버스에서 내린 일행들이 저만치 앞서 걸어간다. 그녀는 아이의 손을 그러잡고 발걸음을 재촉한다.

드디어 에버글레이즈 시티에 들어선다. 공원의 서쪽 입구에 해당하는 곳이다. 이 지역은 원래 플로리다 남부의 거대한 오키초비 호수에서 시작되었습니다. 50마일 길이의 얕은 강이었죠. 가이드는 소형 마이크를 입에 대고 또박또박 설명을 이어간다. 이제 에어보트가 대기하고 있는 수로 쪽으로 갑니다. 모두들 따라오세요. 일행들은 가이드를 앞세우고 줄줄이 걷는다. 그녀는 줄곧 맨꽁무니에서 쫓아가기 바쁘다. 아이는 사방을 두리번거리느라 그녀는 안중에도 없다. 참 호기심이 많을 때다. 그녀는 아이를 주시하는데, 그만 가슴 한쪽이 찡해 온다. 아이와 헤어질 시간이 시시각각 다가오고 있다. 이대로 헤어지고 나면 아이는 그녀를 기억할까? 아마도 까맣게 잊어버릴 것이다. 그 동안 아이와 함께 부대끼며 뒹굴던 시간들이 너무 소중하다.

왜 나만 친구들하고 비슷하지 않아? 엄마 눈은 친구들처럼 까만데, 왜 나 혼자만 파란 색이야?

아이는 표현력이 남달라 의문점과 불만감을 명징하게 드러냈다. 찰스와 함께 산다면, 외모에 관한 자유로움은 보장받은 셈이다. 하지만 한 쪽이 해소되고 나면 또 다른 쪽에 구속받지 말라는 법은 없다. 따지듯 질문 공세를 하는 아이의 입술이 얼핏 파르르 떨렸다. 그녀는 도리머리를 한다. 언뜻 가슴 밑바닥에 고인 뜨거운 열기가 앙가슴을 친다. 고개를 들고 무심히 허공에 눈을 준다. 수천수만 갈래의 햇살이 그녀에게 집중적으로 쏟아진다. 그녀는 사파리 호주머니에서 레이밴을 꺼내 쓴다. 깜짝 선물! 공항까지 배웅 나온 강희가 그녀의 백팩에 넣어주며 싱긋 웃었다. 듬쑥한 강희는 친구라기보다는 언니라고 해야 마땅하다. 엄마, 멋있다! 아이의 상큼한 목소리가 햇살을 가른다. 아이의 눈에 웃음 방울이 달려 있다. 마냥 천진스런 표정이 깨물고 싶을 정도로 예쁘다. 그런데 눈동자가 새까맣다. 그녀는 걸싸게 레이밴을 벗고 아이의 눈을 유심히 들여다본다. 엄마, 왜 그래? 아이가 눈을 거듭 깜박거린다. 변함없는 아이의 눈동자. 심장이 두근두근 뛴다. 아이를 데리고 이 먼 곳까지 꼭 와야만 했는가. 문득 자신이 찰스를 찾아 왔다는 사실이 꿈만 같다. 도저히 믿기지가 않는다. 초조감이 밀려온다. 그리고 두렵다.

마이애미는 찰스의 고향이다. 찰스는 걸핏하면 에버글레이즈를 들먹이면서 어린애처럼 즐거워했다. 맹그로브, 소나무숲, 활엽수림, 억새 평원, 갈대 우거진 소택지, 바다, 하구 그리고 공원의 상징적 존재라는 악어……. 고향 얘기에 심취한 찰스는 엔지니어라기보다는 생태연구가처럼 여겨졌다. 덕분에 그녀의 머릿속에는 에버글레이즈에 관한 갖가지 사항들이 차곡차곡 저장되어 있다. 역사, 기록물, 자연 현상, 생물과 무생물 등등.

으으, 짜릿짜릿한 스릴…… 에어보트 통과할 때, 머리 가르마처럼 양쪽에 쫙 밀려나가는 물풀 밭, 아주 최고! 히말라야 K2 정상에 오른 기분? 가슴이 뻥 뚫려.

서투른 조사 사용이나 삭제에도 불구하고 찰스는 최상의 달변가였다.

그녀는 가슴을 쓸어내리고 찬찬히 주위를 휘둘러본다. 이곳에 여행을 오리라고는 결코 한 번도 상상조차 해 본 적이 없다. 물론 이 여행이 순수한 여행은 아니지만. 사실 그녀가 한 여행이라곤 찰스와 동행한 이별여행이 유일하다. 공교롭게도 이번 여행 역시 아이와의 유일한 여행이면서 또 이별여행이다.

그녀는 찰스와 동거하는 내내 이별을 염두에 두고 있었다. 그런데 막상 찰스의 출국 티켓을 보자 정신이 혼미했다. 이별을 감내하는 데에는 절대적인 고통이 따랐다. 살갗이 갈기갈기 찢기고, 숨이라도 끊길 듯했다. 부정할 수 없는 이별을 수없이 부정하는 어리석음. 찰스의 가족인 아내와 아들도 부정의 대상이었다. 하지만 부정한다고 해서 달라지는 건 아무것도 없었다. 이별의 시간은 시시각각 목을 조이며 다가왔다.

이별 여행 가고 싶다. 영원히 널 기억할 거다.

기억? 웃기지 마! 차라리 기억 속에서 깡그리 지워버려!

그녀는 이혼을 요구하는 아내처럼 펄펄 뛰었다. 표독스럽게 거품을 물었다. 너름새 좋은 찰스는 기어이 우포늪과 순천만 여행을 감행했다. 첫 여행지인 순천만은 찰스의 말대로 오래 기억될 만한 곳이었다. 끝없이 펼쳐진 갈대밭 속으로 들어갔다. 갈대는 곧 그녀의 마음이었다. 싸늘한 갯바람에 종작없이 출렁이며 윙윙 울어댔다. 갈대밭 사이에 조성된 목재 데크를 걸었다. 바람이 매섭게 등을 때렸다. 찰스는 포옹하다시피 그녀의 어깨를 감쌌다. 새들이 어디 꼭 숨어 있을 거인데? 누가 먼저 찾나 내기할까? 찰스가 피에로처럼 혀를 쑥 내밀고 눈알을 굴렸다. 찰스는 즐기다 못해 한껏 달떠 있었다. 그녀의 가슴은 마냥 차가웠다. 찰스에게 묻고 싶었다. 이별을 앞둔 사람이 맞는지, 이별은 그냥 평범한 일상사인지. 찰스가 불쑥 쌍안경을 내밀었다. 엉겁결에 그만 쌍안경을 받아들었다. 빽빽한 갈대 틈새로 칙칙한 갯벌만 눈에 들어왔다. 두루미는커녕 청둥오리 한 마리 보이지 않았다. 새들은 없었다. 쌍안경을 내리고 허공으로 시선을 돌렸다. 텅 빈 시야는 스산하기 짝이 없었다. 침묵 속에서 용산 전망대에 올랐다. 황금빛 해넘이 하늘을 배경으로 매끄럽게 빚은 S자 물길이 누워 있었다. 환타스틱! 종미 나신처럼 아름다워. 찰스는 그녀의 귓불을 혀끝으로 간질였다. 그녀는 자칫 찰스와 키스를 나눌 뻔했다. 그녀는 완강하게 돌아섰다. 몸을 옹송그리며 내리막길로 발을 재촉했다.

우포늪은 새들의 세상이었다. 오리, 쇠기러기, 고니 들이 둥둥 떠다니는가 하면, 열쌔게 수면을 질주했다. 평화로운 정경이었다. 흥분한 찰스는 연신 카메라 셔터를 눌러댔다. 종미! 잠깐 여기 보셔. 찰스가 흠흠한 얼굴로 그녀를 향해 렌즈를 들이댔다. 싫어, 싫다구! 그녀는 목청을 세우며 화급히 양손으로 얼굴을 가렸다. 찰칵 찰칵, 꽥꽥 꽥꽥, 셔터 소리와 동시에 새들이 울부짖었다. 한 무리의 쇠기러기가 수면을 박차고 공중으로 날아올랐다. 새들의 울음소리는 한참 동안 그녀의 귓전에 맴돌았다.

어디선가 마음을 파고드는 맑은 음향이 울린다. 혹 피리 소리인가. 아니다. 틀림없는 새 소리다. 그녀의 시선이 수직 상승한 팜나무에 걸린다. 팜나무 우듬지에서 작은 날개가 파닥거린다. 어미 새는 먹이를 구하러 나간 것인가. 새끼 새의 날갯짓이 자못 불안하다. 그녀는 자리를 뜨지 못하고 서성거린다. 엄마, 안 갈 거야? 아이가 검지로 앞서가는 일행들을 가리킨다. 또 상당히 거리가 벌어졌다. 그녀는 서둘러 일행들을 쫓아간다. 땀에 젖은 손이 자꾸 아이의 손에서 미끄러진다. 아치형 구름다리에 올라선다. 콘크리트 바닥에서 열기가 치밀어 오른다. 엄마! 아이가 모자를 벗어 움켜쥔 채 그녀를 올려다본다. 머리칼이 땀에 젖어 이마에 달라붙었다. 그녀는 아이의 머리칼을 젖히고, 손수건으로 이마를 훔친다. 햇살이 불침처럼 따갑다. 그녀는 말없이 아이의 머리에 다시 모자를 씌운다. 아이가 바로 모자를 벗어 쥐고서 씩씩거린다. 안 쓸 거야, 씨. 머리칼이 홀라당 타도 좋아? 몰라, 모자 싫단 말이야. 아이는 개구리 볼을 하고서 눈을 흘긴다. 그녀는 그만 얼굴이 화끈 달아오른다. 하지만 이내 고개를 끄덕이며 아이의 손을 움켜잡는다. 무조건 참아야 해. 화를 내면 안 돼. 윽박질러도 안 되고, 짜증도 안 돼. 그녀는 스스로에게 되뇌며 깊은숨을 내쉰다. 아이의 머리칼에서 금빛이 톡톡 튄다. 빨강 파랑 노랑…… 금빛은 영롱한 무지개 빛깔로 분산되어 날린다. 아름다운 무지개 빛깔은 아이의 몸을 휘감고 내려와 다리 밑 수면에 수를 놓는다. 꽃이다. 연분홍 수련이 활짝 피어 있다. 그녀의 머릿속에 아득한 시절의 한 때가 떠오른다.

나비 머리핀을 한 소녀가 사찰 입구의 연못가에 서 있다. 연못은 만개한 백련으로 온통 하얗다. 소녀는 발을 동동 구르며 생떼를 쓴다. 빨리 꺾어달란 말이야. 안 돼! 싫어, 싫어. 집에 가져갈 거란 말이야. 충천하는 욕망은 딱 잘라 거절하는 엄마에 대한 반항심으로 더욱 거세진다. 소녀는 엄마의 치맛자락을 붙잡고 뒹굴다가 그만 연못에 풍덩 빠져버린다.

그녀는 넌지시 아이를 바라본다. 아이의 시선은 수면에 닿아 있다. 아이도 지금 수련을 갖고 싶은 건 아닐까. 하지만 아이는 입도 뻥긋하지 않는다. 말이 없는 아이가 괜히 안쓰럽다.

마침내 대여섯 척의 에어보트가 시야에 들어온다. 에어보트들은 짙은 원색 페인트로 도색했지만, 꽤 낡아 보인다. 공원의 역사를 대변하는 듯하다. 에어보트가 떠 있는 수면은 혼탁하기 그지없다. 들머리 물이 이 정도이니, 들어갈수록 심한 흙탕물이지 싶다. 순간 뇌리를 스치는 영상에 그녀는 움찔한다. 악어다. 꿈틀꿈틀 몸을 틀다가 강렬하게 꼬리를 내친다. 참 부질없는 영상물이다. 이제 곧 실제로 악어를 볼 수 있다. 본격적인 악어투어가 시작될 것이다.

그녀는 언제부턴가 찰스가 재잘거리는 악어 얘기에 싫증이 나기 시작했다. 그만 좀 해! 신경질적으로 툭 내뱉다 못해 찰스의 입을 틀어막곤 했다. 찰스는 아랑곳하지 않았다. 오히려 장난쯤으로 여기는 눈치였다. 평소에도 두 사람은 감정 소통에 문제가 많았다. 언어보다는 서로 다른 정서 탓이 컸다. 해결 차원에서 말과 동작을 덧붙이다가 오히려 엉뚱한 오해가 생기기도 했다. 그럴 때마다 그녀는 바위라도 안고 있는 듯 답답했다. 답답함은 외로움과 우울함을 낳았다. 찰스는 전혀 개의치 않았다. 어깨를 초싹이고 눈을 깜박이면서 슬쩍 얼버무렸다. 오히려 애매모호한 상태를 즐겼다. 그녀는 워낙 두루뭉술하지 못한 성격이었다. 그녀 혼자만 늘 심각했다. 생각에 골몰하다가 현기증이 날 때도 있었다. 그때마다 이상하게 악어가 어른거리며 시야를 어지럽혔다. 음울하고 징그러운 표피를 반들거리며 독기에 찬 머리를 치켜들고 덤벼들었다. 징그럽고 지긋지긋했다. 지구에서 가장 강한 포식자는 악어야. 공룡 없는 지구에서 6,000만 년 동안 꿋꿋이 몸체 보존했어. 찰스에게 악어는 최강의 생존력을 지닌 최고의 존재였다. 그녀에게는 단 한 번도 보고 싶지 않은 놈이었다. 고통의 중압

감으로 허덕일 때마다 나타나 고통을 배가시키는 놈이었다. 아이를 임신한 사실에 경악한 순간에도 악어의 환영에 얼마나 시달렸던가.

느닷없이 속이 울렁거리고 구토가 치민다. 곧 보트에 오를 텐데……. 그녀는 앙가슴을 쓸어내리며 심호흡을 한다. 지구의 반대쪽인 여기까지 온 이유를 또 한 차례 곱씹는다. 그만 아뜩아뜩한 기운에 빠져 비척거린다. 이제라도 악어투어를 포기하고 되돌아갈까. 악어투어를 포기한다는 것은 아이와 이별하지 않겠다는 뜻이다. 그녀는 무릎을 꺾고 풀썩 제자리에 주저앉는다. 아이도 그녀의 곁에 무릎을 붙이고 쪼그려 앉는다. 가이드가 한 사람씩 호명을 시작한다. 미세스 종미 신! 그녀는 일행들을 힐끔거리며 마지못해 몸을 일으킨다. 그녀는 괜히 위축감이 든다. 서양인인 일행들 사이에서 동양인은 단지 그녀뿐이다.

그녀는 아이를 앞세우고 에어보트에 올라 자리를 잡는다. 에어보트 뒤편에 대형 팬이 부착되어 있다. 에어보트는 팬이 돌아가면서 생기는 추진력으로 달린다. 아이가 한 치의 틈도 없이 몸을 바짝 기대온다. 마치 나무에 달라붙는 매미처럼 옆구리에 착 붙는다. 그녀는 아이의 엉덩이를 살짝 앞으로 밀어낸다. 가로로 걸린 봉을 아이의 양손에 단단히 잡혀준다. 참 알 수 없는 일이었다. 마이애미 행을 결심했을 때, 불현듯 이 늪지대가 떠올랐다. 호기심이 폭발했다. 한낮의 해는 이글이글 타오를까? 사막의 해처럼 위협적일까? 보트를 타고 바람을 가르며 고속 질주를 할 수 있을까? 악어를 보게 될까? 어쩌면 악어 보여주기가 아이에게 마지막 선물이 될지도 몰랐다. 아이는 악어를 무척 좋아했다. 애완동물쯤으로 여기는 눈치였다.

티브이를 켜놓고 저녁을 먹던 중이었다. 드넓은 사파리의 초원, 흙먼지를 일으키며 한 떼의 얼룩말이 기운차게 달렸다. 얼룩말들의 튼실한 다리관절이 클로즈업되는 찰나였다. 갑자기 악어가 나타나 새끼 얼룩말의 발을 낚아챘다. 민첩하고 잽싸기가 토끼를 물고 나르는 독수리 수준이었다. 머리와 등껍질에 뻗친 무시무시한 송곳 돌기, 함지박 같은 입 안에 돋아난 날카로운 이빨. 필사적으로 버둥거리던 새끼 얼룩말은 끝내 사지를 뻗고 말았다. 그 순간 돌연 찰스의 얼굴이 악어와 겹쳐졌다. 속이 메슥거렸다. 입에 물린 콩나물과 밥알을 고스란히 게워냈다. 아이는 소시지를 우적우적 씹으며 박수를 쳤다. 진짜 용감한 악어야, 그치 엄마? 악어 등에 타보고 싶어. 아이는 그즈음 집 안에서 한창 목마를 타고 놀았다. 좀 뒤에 아이가 실제로 악어를 본다면 어떤 반응을 할까. 아니 실제로 악어를 보고 싶긴 한 걸까. 떠나올 때에 아이의 바람 같은 건 생각 밖이었다. 강희의 말대로 그녀는 너무 지친 상태였다.

찰스를 처음 만난 스물일곱 때에도 그랬다. 지금처럼 깜깜한 굴에 갇혀 운신을 못했다. 한 치 앞이 보이지 않았다. 오죽했으면 자살 사이트를 밥 먹듯 들락거렸겠는가. 아르바이트 인생이었다. 빌딩 숲에 자리한 커피숍은 온갖 일거리가 산적되어 있었다. 새벽부터 늦은 밤까지 그녀를 사정없이 몰아쳤다. 매장 청소, 테이블 정돈, 주방 집기와 커피 잔 소독, 커피콩 갈기, 샌드위치 만들기 등등. 틈틈이 재빠르게 에스프레소도 내렸다. 잠시도 엉덩이를 붙이고 앉을 여유가 없었다. 퍼플잡이니 노동법이니 하는 말은 한낱 사치스런 용어였다.

그날은 역사의 현장처럼 지금도 또렷이 뇌리에 박혀 있다. 며칠 전에 같이 살던 강희가 폭탄선언을 했다. 결혼 날짜를 잡았어. 미안, 보증금을 빼야 해. 그녀는 무려 7년 동안이나 강희의 옥탑 방에 얹혀사는 신세였다. 강희는 나이답지 않게 오달졌다. 그녀가 가출할 수 있었던 것도 강희라는 버팀목이 있었기 때문이다. 강희에게 빌붙은 그녀는 몸을 사리지 않았다. 옷가게, 마트, 식당 등을 전전했다. 약간의 목돈을 쥐게 되자 일단 좌판을 벌였다. 속옷, 양말, 면티, 가방, 신발 같은 저가용품들을 팔았다. 허리띠를 졸라매고 악착을 떨었다. 돈이 조금씩 불어났다. 3평 지하상가에 가방 가게를 차렸다. 하지만 2년도 못 되어 빚까지 안고 손을 털어야만 했다. 미처 빚도 청산하지 못한 형편에 강희의 결혼으로 떨꺼둥이가 될 판이었다. 아무리 머리를 굴려도 대책이 없었다. 다시 큰아버지네로 기어들어가는 게 유일무이한 방책이었다. 저 세상으로 떠난 부모님이 새삼 원망스러웠다. 부모님의 시신은 등산

길에 만난 장맛비에 휩쓸려 퉁퉁 불어 있었다. 그녀는 아홉 살이었다.

굿모닝. 찰스가 검정색 넥타이를 매고 들어섰다. 근 열흘만이었다. 워낙 초강초강한 얼굴이라 해도 한눈에 된 병을 앓았지 싶었다. 오늘도 카페라떼예요? 오케이. 찰스의 목소리가 힘없이 기어들었다. 두 달여 전부터 아침 단골손님으로 자리매김한 찰스였다. 점심시간에도 동료들과 함께 간간이 들렀다. 햄토마토 샌드위치나 월넛 브라우니를 즐겨 먹었다. 어쨌든 그날 아침, 그녀는 블루베리 잼을 바른 토스트 두 쪽을 서비스로 내놓았다. 원래 찰스의 아침은 커피 한 잔이었다. 얼굴이 너무 핼쓱해요. 아, 미국 다녀왔어요. 어머니 갑자기 돌아가셨어요. 그녀는 가슴이 철렁했다. 위로의 말 한 마디 건네지 못하고 엉거주춤 서 있었다. 미스 신이 어디 아픈 것 같아요. 판다처럼 여기가 까매요. 찰스는 퀭한 눈을 깜박이며 손가락으로 자기 눈 밑을 문질렀다. 그녀가 보인 다크서클을 오히려 걱정했다.

그날 밤이었다. 가게 문을 닫는데 뒤에서 인기척이 났다. 찰스였다. 알코올과 땀에 전 체취가 합성된 농밀한 내음이 코를 자극했다. 그녀는 스스럼없이 다가가 팔짱을 꼈다. 어머니를 여읜 찰스의 심장이 부들부들 떠는 게 느껴졌다. 그녀는 자신이 결코 초라하고 무력한 여자가 아니라고 자신했다. 적어도 그날만큼은. 찰스를 혼자 보내고 싶지 않았다. 곁에 있어주어 싶었다. 거리마다 오색찬란한 네온사인이 반짝거렸다. 그녀는 찰스를 이끌고 카페 문을 밀었다. 뿌연 스모그 조명 아래 두 사람은 마주앉았다. 맥주 거품이 사각사각 입 안을 간질였다. 한 잔이 두 잔을 부르고 또 한 잔을 불렀다. 술기운이 일순간 뻗쳤다. 픽, 웃음이 나왔다. 지금, 누가 누구를 구제한단 말인가. 좁고 가파른 계단 맨 위에 올라앉은 손바닥만 한 옥탑 방이 떠올랐다. 이제 그곳마저도 떠나야 할 처지였다. 어디로 가야 하나. 갑자기 맥이 탁 풀렸다. 어디로든지 가야 했다. 그녀는 자리를 박차고 밖으로 뛰쳐나왔다.

한 잔 더 해요. 내 오피스텔 갑시다. 찰스의 긴 팔이 그녀의 어깨를 포근히 감싸 안았다. 그녀는 찰스의 가슴에 안긴 채 걸었다. 옥탑 방이 모래성처럼 스르르 허물어 내렸다. 더는 옥탑 방에 미련이 없었다. 찰스와 3년 동안 동거한 공간은 버젓한 아파트였다.

보트는 한시도 멈추지 않고 앞으로 내달린다. 아이는 입을 동그랗게 헤벌리고 앞만 바라보고 있다. 베리 큐트. 아이 너머에 앉은 중년의 백인 여자가 엄지를 세우며 환히 웃는다. 땡큐. 그녀는 어색한 미소로 화답한다. 아이의 얼굴에도 한가득 웃음이 번진다. 하얀 이가 눈부시다. 찰스의 품에서도 저렇듯 해맑을 수 있으려나. 찰스와 한 가족으로 사는 게 아이에게는 최상의 여건이라고 그녀는 확신한다. 하지만 마음 한 구석은 아직도 미심쩍다. 과연 아이가 엄마 없이도 살 수 있을까. 그녀도 부모를 잃고서 한동안 새로운 가족과 엮어 살았다. 어찌어찌 해도 어머니의 부재는 항상 지울 수 없는 상처였다.

수로 양쪽으로 무성한 수초 밭이 펼쳐진다. 난초 잎처럼 쭉쭉 뻗은 수초가 더없이 싱그럽다. 자칫 잘못하다 수초더미에 보트가 침몰하지 싶은데, 보트는 능수능란하게 수초더미를 헤치고 달린다. 그녀는 슬며시 아이의 손등을 쓰다듬는다. 이제 보내고 나면 언제 다시 볼 수 있으려나. 영영 만나지 못한다면 어떻게 하나. 눈시울이 촉촉해오는데, 별안간 굉음이 터진다. 보트에 가속도가 붙기 시작한 것이다. 톱날풀밭이 울타리를 치며 앞을 가로막는다. 톱날풀밭은 언뜻 갈대밭처럼 보인다. 보트는 기세 좋게 톱날풀밭을 제치며 질주한다. 어머니와 자기부상열차를 탔던 기억이 난다. 얼마나 신바람이 났던가. 열차의 이동 경로에 따라 순간순간 자신이 슈퍼맨처럼 느껴지곤 했다. 언제까지라도 어머니의 손을 꼭 잡고 열차만 타고 싶었다.

야호! 아이의 경쾌한 목소리가 울려 퍼진다. 마치 불꽃의 섬광처럼 공중으로 분산된다. 기분이 마냥 상쾌하다. 어느덧 물길이 끝나간다. 곡선과 직선을 자유자재로 넘나들던 물길이 뒤로 물러나면서 광대한 시야가 펼쳐진다. 습지다. 바다로 착각할 정도로 드넓다. 사방을 휘둘러본다. 머나먼 이국에 와 있다는 걸 새삼 깨닫는다. 보트의 속도가 시나브로 느려지면서 덩달아 소음도 잦아든다. 수면에 나뒹구는 햇빛은 은빛 날개를 펴고 버섯의 포자처럼 사방으로 흩날린다. 한 떼의 새들이 햇빛을 좇아 유유자적 공중을 선회한다.

유유히 떠돌던 보트가 느릿느릿 앞머리를 돌린다. 둥치가 얼마쯤 물속에 잠긴 맹그로브 나무의 군락지가 나타난다. 그 규모가 웬만한 숲에 버금간다. 나뭇가지들을 축으로 수초들이 어지러이 뒤엉켜 있다. 그녀는 수초를 주시하다가 미간을 찌푸리며 움찔거린다. 갑자기 발이 저릿저릿해온다. 그녀는 악력을 다해 발을 움켜잡는다. 한 생각이 뇌리를 스친다. 혹시 내 몸의 실핏줄도 저 수초처럼 엉켜 있는가. 입으로 숨을 토하며 발을 가만가만 주무른다. 다행히 다리가 풀리기 시작한다. 그녀는 다리를 앞으로 쭉 뻗는다. 문득 주위가 적요하다. 깜박 잊고 있었다. 좀 전의 안내 방송에서 이곳이 바로 악어들이 웅크리고 있는 곳이라고 했다. 보트 밖으로 팔을 뻗거나 얼굴을 내밀지 말라는 경고도 생각난다.

와아! 엄마, 저기……. 쉿! 그녀는 반사적으로 입술 위에 검지를 세우며 눈을 치뜬다. 금세 팔에 소름이 돋는다. 그런데 악어는 눈에 잡히지 않는다. 모터가 꺼진 보트는 수면의 흐름에 따라 미세하게 흔들거린다. 와, 진짜 악어다. 아이가 그녀의 손을 와락 잡아당긴다. 그녀의 얼굴이 굳어지고 목까지 뻣뻣해진다. 수초 사이로 언뜻언뜻 내보이던 악어 머리가 점점 더 뚜렷이 드러난다. 모난 삼각형 머리에 불룩하게 부풀어 오른 입 모양새가 영락없이 맹수다. 그런데 입 안이 수상쩍다. 행여 먹잇감을 통째로 담고 있는 건 아닌가. 아니 아니다. 새끼를 조심스레 보호하고 있는 형상이다.

악어의 유별난 모성애에 관해서 찰스는 제대로 파악하고 있었다. 악어는 산란을 하고 휴식을 하지 않는다. 죽을힘을 다해 낑낑대며 흙이나 나뭇잎들을 알 위에 덮는다. 새끼가 부화하면 아예 입 안에 넣고 지내다가 수초가 무성한 곳을 찾아 꺼내놓는다. 그렇게 공을 들여도 결과는 미미하다. 오십여 마리 중에서 성체는 겨우 한 마리만 남는다. 한 마리 새끼를 위한 어미의 생태. 그녀는 악어의 볼록한 입을 마주하면서 절절한 심정으로 전율한다. 숙연해지는 모성애의 현장이다.

보트가 방향을 튼다. 그녀의 시선은 계속 악어에게 매달려 있다. 수면의 나무 그림자는 점점 옅어지고, 햇살은 수면을 튕기며 달아나기에 바쁘다. 와우, 와우……. 갑자기 여기저기서 탄성이 쏟아진다. 몸체를 완전히 드러낸 악어 예닐곱 마리가 옹기종기 모여 있다. 몸체는 약간씩 차이가 나지만 등에 곤두선 돌기는 한결같이 날카롭다. 한 가족일까. 아아, 그녀는 비로소 찰스가 사는 이곳에 아이를 데려온 걸 실감한다. 그녀는 워낙 뒷북을 치는 데에 일가견이 있다. 찰스와 아이가 처음 만났던 그 옛날, 찰스의 의견에 따라야 했다. 그랬다면 아이는 순탄하게 잘 자라고 있을 거였다.

햇빛이 잠시 잠깐 맛보기로 창문을 흘끔거리는 반 지하 단

칸방에서 아이를 낳았다. 혼자인 그녀는 억척을 떨 수밖에 없었다. 6개월이 채 안 된 아이를 처네로 들쳐 업고 김밥을 말았다. 손발이 퉁퉁 붓고, 종아리가 땅기고, 허리가 끊어질 듯한 통증이 삶의 증거였다. 힘들어도 불행이라는 단어는 결코 떠오르지 않았다. 막막한 세상에서 아이는 그녀가 살아가는 힘이었다. 그녀가 외톨이가 아니라는 걸 증명해주는 고귀한 생명이었다.

가을비가 추적추적 내리는 새벽녘, 강희가 부랴부랴 달려왔다. 갓 두 돌배기 아이가 고열로 혼수상태에 빠진 것이다. 급성 뇌막염이었다. 다행히 입원 치료를 마치고 퇴원 수속을 밟게 되었다. 그때까지 서분서분하던 강희가 정색을 하며 언성을 높였다. 뜻밖이었다. 너, 이제라도 정신 똑바로 차려! 싱글 맘은 뭐 아무나 되시는 줄 알아? 당장 찰슨지 뭔지 불러서 나미의 존재부터 알리란 말이야. 늪이 별건 줄 아니? 니 현실이 바로 늪이야. 그녀는 못 들은 척 아무런 대꾸도 하지 않았다. 임신 사실에 찰스가 어떤 반응을 했던가. 단호하게 내뱉은, 책임질 수 없다는 말은 그래도 괜찮았다. 천연덕스럽게 낙태를 종용했다. 잔인하고 치졸한 인간. 그녀는 입을 앙다물었다. 찰스의 출국 직전에야 임신 사실을 안 게 천운이라고 자위했다.

가로수 길이 노란 은행잎으로 물든 계절이었다. 찰스가 노란 머리칼의 부인을 대동하고 찾아왔다. 아이를 꼭 껴안은 찰스는 풀죽은 표정으로 더듬더듬 되뇌었다. 좀비 블로그에서 우연히 아이 사진 봤어요. 부인이 차분한 어투로 찰스를 거들고 나섰다. 외동아들이 여름 캠프에서 익사한 사건과 아들 출산 뒤에 자신이 불임 판정을 받은 사실을 털어놓았다. 아이를 친딸처럼 키우겠다며 그녀의 손을 덥석 잡았다. 부인은 왠지 여낙낙해 보였다. 찰스는 숫제 애원조로 매달렸다. 비열한 인간! 그녀는 그들에게 등을 보이며 의기양양하게 돌아섰다.

찰스 부부가 떠나고 나자, 이상하게 그녀는 에너지가 샘솟았다. 비록 월급 자리지만, 신들린 듯 가게 일에 열중했다. 김밥세트, 김밥정식, 주먹밥, 영양김밥, 야채롤밥……. 그녀가 개발한 메뉴마다 히트 상품으로 자리를 굳혔다. 통장에 입금액이 불어나기 시작하는데, 생각지도 않은 문제가 불거졌다. 놀이방 원장의 호출이 잦았다. 아이는 지나치게 산만한가 하면, 독선적이고 옹고집쟁이로 아이들 사이에서 겉돌았다. 근본적인 원인은 단연코 외모였다. 푸른 눈과 노란 머리. 아이가 감당하기에는 너무 버거운 짐이었다. 아직 어린 탓이라고 치부하며 애써 가벼이 넘겼다. 그녀는 일부러 느긋하게 마음을 다잡고 스스로를 다독였다. 성장할수록 나아지리라.

아이가 유치원생이 되었다. 그런데 상황은 훨씬 더 악화되어갔다. 부질없는 기대였다. 그녀는 그제야 문제의 심각성을 깨달았다. 아이의 성정에 문제가 있었다. 결코 몸을 사리는 법이 없는 호전적인 싸움닭이었다. 눈을 번득이며 상대방의 옷을 찢거나 얼굴을 할퀴고 머리칼을 뽑았다. 집에서도 거침없이 그 연계성을 드러냈다. 걸핏하면 쟁쟁하고 덜퍽부리며 난폭하게 굴었다. 바비 인형의 머리를 산발한 상태로 쓰레기통에 처박고도 태연했다. 찰스가 생일선물로 보낸 바비 인형은 아이의 애장품 1호였다. 찰스는 아이를 보고간 뒤에 매달 꼬박꼬박 양육비를 보냈다. 그녀는 받은 길로 바로바로 송금해버렸다. 결국 찰스는 양육비 송금을 단념했다. 하지만 1년에 두 번, 생일과 크리스마스 선물은 꼭 챙겼다. 선물상자를 열 때마다 그녀는 아주 살갑게 주절거렸다. 네가 씩씩하고 예쁘게 크면 아빠가 오실 거야. 아빠는 이 세상에서 널 제일 사랑한단다. 나미도 아빨 사랑하지?

그녀는 유치원 원장이 소개한 상담소를 찾기에 이르렀다. 상담 선생의 진단과 처방전은 명확하고 구체적이었다. 아이가 떠안고 있는 극심한 스트레스를 해소시켜야 했다. 일단 지속적인 사랑이 최우선이었다. 24시간 한 공간에서 아이와 눈을 마주치며 뒹구는 일은 불가능했다. 우선 친구 만들기, 즐거운 놀이, 애완견 키우기 등을 실행해야 했다. 강희는 기회다 싶었는지 그녀를 몰아세웠다. 잘난 체하더니 꼴좋다. 설마 이 정도의 상황이 최악이라고 생각하진 않겠지? 앞으로가 더 기대된다. 상상조차 못한 사태가 빵빵 터질 걸? 니 어린 시절은 차라리 꽃방석이야. 나미는 훨씬 더 악조건 속에 방치돼 있어. 여기서 더 머뭇거리면 너희 모녀 다 수렁에서 허우적거릴 일만 남았단 말이야! 늘 그녀의 치다꺼리를 해주는 강희였으나 뇌꼴스러웠다. 콧방귀를 뀌며 강희의 충고를 무시했다. 하지만 시간이 지날수록 강희의 말이 절실하게 다가왔다. 현재 상황은 미래의 위험을 예고하는 조짐이었다. 인터넷이나 언론이 시시콜콜 쏟아내는 폭로전에 촉수가 꽂혔다. 폭력, 마약, 가출, 자살 등의 어둡고 끔찍한 사건 사고들이 아이를 맴돌며 그녀를 압박했다. 최선책은 당연히 찰스, 아이, 그녀가 한 가족으로 뭉치는 일이었다. 그 길은 요원했다. 차선책은 그녀가 아이를 포기하는 일이었다.

그녀는 아이를 힐금 본다. 아이는 턱을 내린 채 악어에만 집중하고 있다. 문득 공포심이 일어난다. 보트 밑바닥이 자칫 바닥에 닿을 것 같은 느낌 때문이다. 그녀는 긴장감으로 발에 힘이 들어간다. 키를 조금치라도 잘못 조정하면 악어의 등을 긁어버릴지도 모른다. 흥분한 악어는 거침없이 날뛰며 보트 위로 뛰어 오를 것이다. 악어가 아이를 덮치기라도 한다면……. 그녀는 덜컥 겁이 난다. 아이가 쓴 모자가 거추장스러워 보인다. 부들부들 떨리는 손으로 모자를 아무렇게나 접어 숄더백에 집어넣고 아이를 부둥켜안는다. 보트는 악어들을 아슬아슬 비켜나간다. 악어들은 무생물처럼 꿈쩍도 하지 않는다. 엄마, 악어는 왜 쿨쿨 잠만 자? 아이는 오리입술을 하고 시무룩한 표정을 짓는다. 그녀는 선뜻 답을 못하고 우물쭈물하는데, 보트에 속력이 붙는다. 전속력으로 내달린다.

보트는 무사히 선착장에 이르렀다. 그녀는 아이를 안고 보트에서 조심조심 내려온다. 발목이 시큰거리지만 아이를 내려놓고 싶지 않다.

대나무처럼 쭉쭉 뻗어 올라간 나무들 사이로 걸어간다. 깊은 숲이다. 길이 세 갈래로 나뉘는 지점에서 일행들은 서성거린다. 어느 쪽이라도 다 악어 농장으로 통합니다. 자유롭게 이동하시죠. 가이드의 말에 일행들은 기다렸다는 듯 뿔뿔이 흩어진다. 그녀는 가이드 뒤에 바짝 따라붙는다. 아이는 그녀의 품에서 자꾸 발을 버둥거리며 보챈다. 할 수 없이 아이를 내려놓는다. 신통하게도 아이는 곧잘 걷는다. 그녀는 여행을 계획하면서 은근히 마음을 졸였다. 아이는 워낙 떼쟁이다. 여간내기가 아니다. 크게 데치거나 회초리를 들어야만 꼬리를 내리곤 했다. 지금 아이는 아주 고분고분하고 토끼처럼 양순하다. 하기야 상담 선생도 아이가 좀 예민한 성격일 따름이라고 했다. 야, 거북이다! 그녀의 눈이 아이의 손가락 끝을 따라간다. 움푹 팬 물웅덩이가 보인다. 물가에 그만그만한 거북이 두 마리가 한껏 목을 움츠리고 나와 있다. 암수 한 쌍인가. 아니면 어미와 새끼인가. 참으로 정겹고 포근한 정경이다.

악어 농장에 당도했다. 굳건한 철망이 악어 우리를 둘러싸고 있다. 섬뜩하다. 햇빛 가득한 맨땅에 악어들이 여기저기 무리지어 엎디어 있다. 어림짐작으로 서른 마리쯤 되어 보인다. 그녀 바로 앞 철망 너머에 한 마리, 서너 발짝 오른쪽에

네 마리가 동일한 포즈를 하고 있다. 물속의 악어처럼 미동도 하지 않는다. 혹시 사체가 아닐까. 흙빛 체색에서 뿜어나는 칙칙함도 왠지 생명을 잃은 느낌을 풍긴다. 아니다. 절대로 사체는 아니다. 찰스가 운운하던 악어의 강한 생존력을 망각하고 있었다. 그 생명에 내재된 무한한 잠재력이 기억 속에서 터진다.

지금은 악어들의 일광욕 시간입니다. 주변에 나무 한 그루 없는 이유를 아시겠죠? 가이드의 설명이 무척 생소하다. 악어에게도 비타민 생성이 필요하단 말인가. 그녀는 악어를 흘낏거리며 맨살이 드러난 양팔을 앞으로 뻗어 본다. 엄마, 저기 입을 쫙 벌리고 있는 악어 좀 봐. 울고 있지? 아이가 그녀의 팔을 잡아끈다. 앞발을 기역자로 구부린 악어의 눈에서 한 줄기 눈물이 흘러내린다. 햇빛에 반짝이는 눈물이 수정처럼 투명하다.

큰 고깃덩이 삼킬 때, 하품할 때 눈물이 흘러나와. 턱뼈가 크게 벌어지면 눈물샘을 자극해. 악어 눈물은 완전 가짜야. 찰스의 목소리가 귓가를 맴돈다. 엄마, 악어가 눈물 흘리는 거 맞지? 정말로 신기해. 근데 왜 울어? 으응, 그러니까……. 아, 알았다. 이 악어만 외톨이잖아? 엄마를 잃어버렸나 봐. 그치? 그녀의 눈동자가 한순간 초점을 잃는다. 그녀는 어김없이 아이의 뒤에서 도망자가 될 거였다. 엉엉 울어대며 그녀를 찾아 헤매는 아이의 모습이 선명하게 그려진다.

키가 훌쩍 큰, 감색 유니폼 차림의 사육사가 우리 안에서 나온다. 사육사의 손에 새끼 악어 한 마리가 들려 있다. 새끼 악어의 길이는 사육사 팔 길이의 절반에도 못 미친다. 참 귀엽죠? 여러분은 이 귀염둥이를 애완견처럼 만져볼 수 있습니다. 직접 체험해 보는 거죠. 3달러만 내세요. 몇 사람이 사육사 앞으로 성큼성큼 나간다. 악어의 가느다란 꼬리가 사육사의 팔에 스친다. 야구 모자를 쓴 흑인 노인이 악어의 등을 쓸어내리며 히죽거린다. 나도 만져볼래. 아이가 또박또박 내뱉는다. 안 돼. 만져볼 테야. 안 된다니까. 싫어, 빨리 돈 줘. 등에 난 뾰족한 뿔도 잡아볼 거란 말이야. 뭐라구? 악어가 장난감인 줄 아니? 사자보다 더 무서운 게 악어야. 흑인 노인의 큼직한 손에 악어 꼬리가 잡혀 있다. 노인은 일행들을 호기로운 눈으로 훑어보면서 익살스럽게 웃는다. 아이가 그녀의 숄더백을 와락 잡아당긴다. 안 된다고 했잖아? 그녀는 그만 아이의 손등을 세차게 내리치고 만다. 딱, 하는 소리가 의외로 크게 울린다. 그녀는 힐끔힐끔 사람들의 눈치를 본다. 미워, 엄마 미워, 엄만 바보야! 아이는 울먹거리며 땅바닥에 엉덩방아를 찧는다. 뭇 시선이 일제히 그녀와 아이에게 쏠린다. 그녀는 허리를 굽혀 아이의 손을 붙잡는다. 아이는 일어나지 않으려고 결사적으로 다리를 뻗친다. 아이가 가로꿰지기 시작한다. 그녀는 아이를 덥석 안아 올리고선 슬슬 뒷걸음을 친다. 아이는 앙칼지게 울부짖으며 그녀의 배를 발로 차고 주먹으로 어깨를 난타한다. 저, 미안해요. 아이를 좀 달래야겠어요. 그녀의 목소리가 심하게 떨린다. 그녀는 악마의 소굴이라도 탈출하듯 정신없이 내달린다. 돌연 눈앞이 캄캄해지면서 다리에 힘이 탁 풀린다. 이마에서 식은땀이 흐른다. 그녀는 입술을 깨물며 무작정 진둥걸음을 내딛는다.

그녀는 텅 빈 숲 속 벤치에 하릴없이 앉아 있다. 아이는 제 풀에 지친 모양이다. 그녀의 품에 안긴 채, 잴잴거리는 걸 멈추고 딸꾹질을 하다가 잠이 들었다. 아이의 얼굴을 비낀 한쪽으로 시선을 준다. 아이 얼굴만 한 하늘이 나무 사이로 내다보인다. 맑고 푸르다, 아이의 눈동자처럼. 그녀는 묵묵히 하늘을 응시한다. 하늘이 하늘처럼 보이지 않는다. 가슴이 너무 답답하다. 창문 하나 없는 창고에 갇힌 듯하다. 아이는 좋지 않은 꿈이라도 꾸는지 눈살을 찌푸린다. 문득 눈이 시려온다. 코끝마저 시큰거린다. 아무래도 성급한 결정인 것 같다. 아이가 며칠째 유치원에 갈 수 없다고 억지를 부렸다. 배가 아프다는 건 핑계였다. 그녀는 밤새 궁싯거리다가 마음을 다잡았다. 더 지체하는 건 의미가 없다고 생각했다.

우리 멀리 멀리 비행기 타고 여행갈까? 나미가 좋아하는 악어도 보고, 아빠도 만나고……. 정말? 우리 엄마, 짱이야. 아이는 곰돌이를 하면서 깔깔거렸다. 그녀는 왠지 용기가 불끈 솟았다. 부딪쳐보고 싶었다. 그런데 막상 이곳에 발을 디뎌보니, 점점 자신감이 떨어진다. 뭔가가 자꾸 삐걱거린다. 한껏 부푼 풍선이 금방이라도 터질 것처럼 조마조마한 심정이다.

그녀는 잠든 아이를 업고 숲을 빠져 나온다. 손목시계를 본다. 3시 40분, 일행들이 한창 악어 쇼를 관람하고 있을 시각이다. 아직 시간은 넉넉하다. 서둘지 않아도 그녀가 제일 먼저 공원 입구에 이를 것이다. 이제 호텔에서 저녁을 먹고 느긋하게 찰스를 기다리는 일만 남았다. 그녀는 마음을 추스르고 느릿느릿 거북이걸음을 한다.

해는 뜨거운 열기를 방출하는 데에 막바지 힘을 쏟아내고 있다. 등이 온통 땀으로 끈끈하다. 아이의 엉덩이가 자꾸 아래로 쳐진다. 등을 구부린 채 땀에 젖은 손바닥을 바지에 문지른다. 아이가 한 차례 몸을 뒤척인다. 그녀는 중심을 잃고 비틀거리다가 자칫 아이를 떨어뜨릴 뻔했다. 아이는 곤히 자면서도 그녀의 목을 꼭 껴안고 있다. 혹 엄마가 저를 떼어놓으려는 걸 느끼는 걸까. 새삼스레 아이의 무게가 그녀를 누른다. 다리가 허전허전하다. 기를 쓰고 힘을 모으는데도 다리가 후들거린다. 파근하기 짝이 없다. 오른편 길 건너에 벤치가 보인다. 간신히 발을 옮겨가 벤치에 아이를 누인다. 그녀의 목을 휘감고 있는 아이의 팔을 하나씩 떼어놓는다. 어느새 이렇게 훌쩍 컸는가. 잠든 아이의 얼굴에 슬쩍 미소가 번진다. 아빠 엄마와 함께 잔디밭에서 뒹구는 꿈이라도 꾸는 걸까. 그녀는 아이를 따라 미소를 짓지 못한다. 과연 아이는 엄마 없이 행복할 수 있을까. 엄마가 없으면 아빠가 있고, 아빠가 있으면 엄마가 없는 이 부조리를 아이는 견뎌낼 수 있는가. 아니 이제까지 아이를 버팀목으로 살아온 나는? 제 입속에 새끼를 키우는 악어보다 못한 나는? 지금 나는 무슨 짓을 하려는 건가. 그녀는 벌떡 일어난다. 갑자기 마음이 바빠진다. 잠든 아이를 선뜻 일으켜 들쳐 업는다. 시간이 밭다. 그녀는 달리기 시작한다.

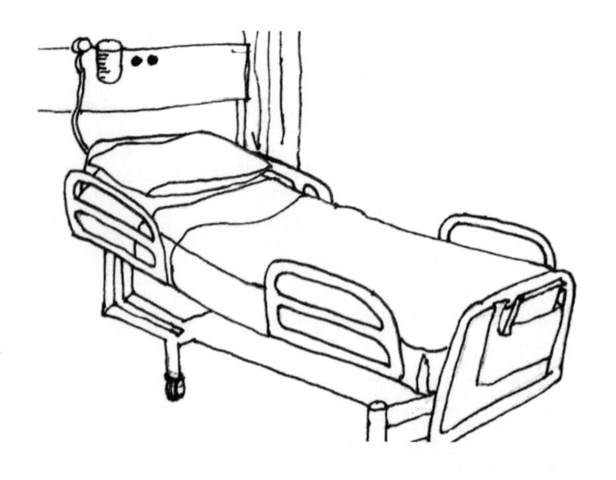

도둑

덩그러니 혼자 남은 병실은 오솔하기 그지없다. 그는 철민이 누웠던 텅 빈 침대를 허우룩한 심정으로 바라본다. 침대 발치에서 한 사람의 그림자가 서성거린다. 삶에 연연해 아등바등하던 한 사내가 잽싸게 그림자 속으로 빨려든다

도둑

살고 싶다. 누가 뭐라고 하든 어떻게 해서라도 살아 있고 싶다. 두 번 다시 오지 않을 이 기회를 절대로 놓치면 안 된다. 자칫 머뭇거리다간 죽음으로 직행하기 십상이다. 혼신을 다해 정신 줄을 단단히 붙잡고 있어야 한다. 그는 침대 양쪽의 사이드레일을 내리고 등판을 비스듬히 조절해 일어나 앉는다.

닷새 전, 모든 희망을 떨쳐버리기에 딱 알맞은 저녁 어스름이었다. 한 청년이 죽음의 사자가 버티고 서 있는 병실 문턱을 거침없이 넘어 들어왔다. 그는 한눈에 청년을 알아보고 자리에서 벌떡 일어났다. 근 20년 만에 딱 한 번, 그것도 겨우 일주일 전에 대면했던 아들 철민이었다. 아버지, 마음 정했습니다. 철민이 그의 손을 꼭 잡았다. 철민의 손은 그에게 힘을 실어주려는 듯 따뜻했다. 그는 그 감각을 다시 느끼고 싶어

:||

양손을 맞잡는다. 그런데 괜한 찬 기운만 물씬 올라온다. 혹시 내가 꿈을 꾼 건 아니었을까. 아니 분명 꿈은 아니다. 그는 도리머리를 한다. 그러기엔 철민의 모습이 지나치게 생생하다. 상체에 밀착된 티셔츠 때문인지, 운동선수 못지않게 체격이 아주 건장해 보였다. 그 튼튼한 몸이 얼마나 믿음직스러웠던가. 얼마나 다행스러웠던가. 정말 행운이었다. 그는 자기도 모르게 살짝 입 꼬리를 올린다. 하지만 금세 얼굴이 화끈 달아오른다. 몰염치한 놈! 그를 비웃으며 힐난하는 따가운 눈총이 사방에서 쏟아지는 것 같다. 그는 화급히 눈을 내리깔고 힐끔힐끔 주위를 살핀다. 뜻밖에도 아내가 주뼛주뼛 들어서고 있다. 아내는 그와 눈이 마주치자 어색한 미소를 날린다. 아내의 심정이 곧이곧대로 드러나는, 참으로 궁색하고 씁쓸한 미소다.

아내는 그가 입원한 근 달포 내내 애면글면 그의 머리맡을 지켜왔다. 같은 방 환자들이 시샘을 낼 정도로 지극 정성이었다. 워낙 산산한 아내였다. 입원하던 날, 아주 편안하고 나긋나긋한 목소리로 그를 안심시켰다. 당신 그 동안 얼마나 고생했게요. 인생 휴가 받은 거라구요. 푹 쉬는 시간이라고만 생각해요. 내가 어떡하든 당신을 이십대의 팔팔 뛰는 몸으로 바꿔놓고 말 거예요. 알았죠? 당신이 살아야 나도 산다구요. 그는 그만 울컥해서 하마터면 눈물방울이라도 떨어뜨릴 뻔했다. 평소에도 더없이 살가운데, 그가 몸져누웠으니 더 말할 계제도 없었다. 그러던 아내가 갑자기 발을 끊고 병실에 나타나지 않았다. 철민을 만나기 전날부터 지금까지. 물어보나마나 콩팥 한쪽 구하려고 백방으로 돌아치다 빈손으로 터덜터덜 돌아온 낌새다. 미소 같지 않은 미소하며, 수심에 쩐 몰골로 보아 그러리라는 그의 짐작이다. 그는 절로 웃음이 나온다.

얼굴 좀 풀지 그래? 이제 아무 걱정도 하지 말라구. 수술비만 있으면 돼!

무, 무슨 말이에요? 뜬금없이……. 하늘에서 신장이 뚝 떨어지기라도 했어요?

그래, 떨어졌다, 떨어졌어. 당신, 철민이 기억하지? 내 아들 말이야. 글쎄, 그 녀석이 찾아왔었어. 아니 실은 내가 찾아냈지. 참, 다 컸어. 얼마나 나볏하던지. 덥석 안기면서 대뜸 뭐랬게? 아버지한테 받은 이 몸 당장이라도 돌려드리겠습니다, 이러더라니깐. 떡 벌어진 어깨하며 뭉툭한 코, 눈 꼬리가 쫙 찢어진 게 영락없이 나랑 판박이야. 어쨌거나 벌써 검사도 다 끝냈고…… 교차 반응에서 거부반응만 없으면 바로 수술한댔어. 수술날짜 잡을 일만 남았다구.

여보!

아내가 와락 소리를 내지르며 그를 부둥켜안는다. 그도 두 손으로 아내의 등을 토닥거린다. 한순간, 복작이던 8인 병실이 텅 빈 듯 일체의 소음이 사라진다. 아내는 눈물까지 찔끔거린다. 그는 내친 김에 목을 가다듬고 단호하게 덧붙인다.

수술비 문제를 곰곰 생각하다가 기막힌 묘안이 떠올랐어. 빚더미에 옴팍 올라앉은 우리한테 누가 돈을 빌려주겠어? 내가 그간에 부의금 보낸 사람들이 있는데, 그 명단이 장롱 오른쪽 맨 아래 서랍에 들어있다구. 찾아서 이대로 프린트해 당장 부치도록 해.

그는 침대에 바투 붙은 사물함 서랍을 열고 두 번 접힌 A4용지를 꺼낸다. 아내는 어리벙벙한 표정으로 A4용지를 펼친다.

신장이 망가져서 죽어가는 장일도입니다. 어렵사리 이식할 신장을 구했는데 수술비가 난감합니다. 수술날짜는 이달 말입니다. 요단강 건너간 뒤에 들고 오실 조의금을 미리 선불로 주시면 어떨는지요. 사전 조의금이라고나 할까요. 궁여지책입니다. 살려주십시오. 국민은행 137-28-0571-617.

입속말로 짧은 글을 단숨에 읽은 아내가 입술을 앙다문다. 그리고 그를 보며 고개를 주억거린다. 그도 맞받아 고개를 끄덕인다. 아내의 표정에는 뭔지 모를 비장함마저 서려 있다. 부랴부랴 병실을 빠져나가는 아내의 발걸음이 가볍다 못해 사뭇 경쾌하다. 역시 내 아내다. 척하면 척, 마음이 통했다. 가슴이 더워진다. 가족이란 이런 것인가. 새삼 동생 이도의 얼굴이 아른거린다. 옆에 있다면 당장 엉덩이라도 발로 걷어 차고 싶다. 이 갈가위 같은 놈아, 니놈 아니라도 내겐 아들이 있어. 아들이 있단 말이다.

이도는 그의 쌍둥이 동생이다. 그가 입원하고서 아내가 제일 먼저 달려간 곳은 이도네 집이었다. 그 동안 왕래가 전혀 없다 보니 막상 찾는 일이 만만치 않았다. 아내와 그가 결혼 말이 오가던 때부터 서로 남남이 되어 발길이 뚝 끊어졌다. 놈을 기필코 찾아야 해. 난 그놈이 필요하다구! 그는 막무가내로 아내를 종용하고 떠밀었다. 아내 혼자 동분서주 발품을 팔아 가까스로 이도네 집에 발을 들였다. 어떤 인간이 날 찾는단 말입니까? 살고 싶어 환장한 사람이라구요? 한때는 내게도 유일한 형제, 형이 있었고 말구요. 허나 그 인간은 진작 죽었어요. 살아 있는 그 인간은 내 형이 아닙니다. 아내는 이도의 말을 토씨 하나 빠뜨리지 않고 그대로 옮기면서 분을 삭이지 못했다. 어쩜 그리도 몰인정하게 냉갈령을 부리던지……. 아무리 발 막고 지내왔다 해도, 정말 너무해요. 그뿐인 줄 알아요? 소문대로 사업에 성공한 모양이에요. 대궐 같은 집에다 으리삐까한 살림살이에다…… 내리 깔보는 눈초리에 어찌나 주눅이 들던지……. 그는 아내가 선걸음에 면박만 당하고 돌아온 날, 온밤을 뜬눈으로 새며 이를 갈았다. 살쾡이 같은 놈, 피도 눈물도 없는 독종! 그러면서도 두 번 다시 이도에게 가지 말라는 말을 내뱉지 못했다. 보아하니, 아내는 자존심이고 뭐고 다 팽개치고 그 뒤로도 몇 번 더 간 눈치였다. 물론 그 상황은 안 보아도 훤했다.

그는 침대의 등판을 내리고 느긋이 드러눕는다. 오후의 햇살이 회백색 벽을 타고 넘나든다. 실내의 집기와 사람들의 그림자가 두루뭉술하게 벽면에 어룽거린다. 그림자 놀이라고나 할까. 오늘따라 그림자의 형상이 선명하고도 새롭다. 활짝, 또 활짝 장미꽃이 피어난다. 동네 초등학교 담장을 기어오르며 방긋거리던 선홍색 넝쿨 장미다. 그는 코를 벌름거린다. 달콤한 향기까지 솔솔 풍겨난다. 철민이 나타나기 전에 어른거리던 그림자하곤 차원이 다르다. 그때는 걸핏하면 몸이 움칠하곤 했다. 꿈틀대거나 나풀거리는 본새가 영락없이 저승사자가 걸친 폭넓은 장삼 자락이었다.

실제로 저승사자는 시시때때로 얼쩡거렸다. 우람한 덩치에 부리부리한 눈을 치뜨고 머리를 산발한 저승사자. 가히 위압적이었다. 특히 광기에 찬 눈초리는 온몸을 옥죄었다. 게다가 깨어 있는 시간으로는 부족한지, 꿈속까지 쫓아와 목덜미를 낚아채고 목을 졸랐다. 조만간 그를 끌고 가겠다는 경고였다. 그때마다 그는 가위에 눌리기 일쑤였다. 깨어나면 침구는 식은땀으로 축축하고, 가슴은 반으로 접혀진 듯 숨이 찼다. 죽음에 대한 공포가 의식과 무의식을 넘나들며 이중 삼중으로 그를 압박했다. 그가 모색한, 공포에서 벗어나는 길은 삶에 대한 욕망을 키우는 일이었다. 그것도 무한대로. 살아야만 한다. 살아야만 해. 예전에는 미처 깨닫지 못한 생존의 의미가 새록새록 절절하게 우러났다. 하지만 아이러니였다. 그럴수록 하루하루가 더 고통스러운 지옥이었다. 기껏 붙들어보아야 이미 실낱 목숨에 불과했다. 그렇다고 멀거니 앉아있을 수는 없었다. 아직 사지는 멀쩡했다. 분리되지 않은 몸과 마음은 혼돈과 모순 덩어리였다. 엉터리일지라도 나름 결론을 내리고 각오를 다졌다. 몸은 영혼을 담는 그릇이었다. 목숨을 부지할 수만 있다면 영혼 따위는 시궁창에 처박혀도 좋았다.

사실 이 모든 일련의 사태는 주치의의 한 마디 진단에서 파장되었다. 주치의는 모니터에 시선을 고정한 채 일상적인 어투로 직토했다. 마지막 남은 유일한 방법은 '이식'뿐입니다. 그의 기분 따위는 안중에도 없이 내린 사형 선고였다. 그는 일순간 입 안이 바짝바짝 타고 목구멍이 쩍쩍 갈라졌다. 어줍게 마른침만 삼켰다. 한 마디 대꾸도 못하고 허청허청 진료실을 빠져나왔다.

그는 만성 신부전증 환자다. 3년 전부터 일주일에 세 차례

나 투석 치료를 받아왔다. 한 번 투석하는 데에 걸리는 4시간, 지겹고 힘들었다. 투석하는 날은 유난히 스물네 시간이 길고 더디었다. 파근한 다리를 끌고 집에 돌아오면 드러눕기 바빴다. 더는 악화되지 않으리라는 희망 하나로 버텼다. 좀 더 일찍 아내의 말에 귀를 기울여야 했다. 그 놈의 목곧이 성미가 못된 고질병이었다. 신부전증은 당뇨 합병증이었다. 당뇨를 얕본 게 큰 불찰이었다. 인슐린 주사까지 맞으면서도 어찌 그리 무사태평했던가. 하기야 주위에 당뇨 환자들이 부지기수였다. 그의 눈에 비친 그들은 그럭저럭 환자 아닌 환자들이었다. 식이요법만 제대로 해보자구요. 남들은 꽁보리밥이나 현미만 먹는다는데……. 고지식한 아내는 병원에서 받아온 식단표만 신주단지 모시듯 떠받들었다. 이게 어디 사람 먹으라는 밥상이야? 산중 중들도 이보단 낫겠다. 그는 식이요법은커녕 오히려 식탐이 더 늘었다. 혀는 짜고 달고 매운, 자극적인 음식에만 반응하며 쫓아다녔다. 소주나 막걸리도 그에 곁들여 홀짝홀짝 잘도 마셨다. 투석은 엄연히 스스로 자초한 수순이었다. 이식으로 귀결된 것도 같은 맥락이다.

병이란 잡귀는 교활한 악마다. 교묘하게 몸을 감추고 있다가 한 방에 가정을 파괴하는 괴력이 있다. 중 · 고등학교에 다니는 딸이 자그마치 셋이다. 투석을 하면서 병원비와 소득은 반비례 그래프를 그렸다. 물론 투석을 하기 전에 집안 경제의 주축인 개인택시를 처분했다. 아내가 대신 회사택시 운전대를 잡았다. 아내와 그가 자리바꿈을 한 것이다. 선택의 여지가 없었다. 죽이든 밥이든 식탁에 올리는 일이 운전대를 잡는 일보다 수월했다. 덜 고단했다. 그러나 투석을 하면서는 집안 일까지 모두 아내의 몫이 되고 말았다.

그랬다. 어차피 빚을 등에 짊어지고 죽음에 쫓기는 막다른 삶이었다. 단지 애써 죽음을 외면하거나 부정했을 뿐이다. '인간의 치사율 백 퍼센트'라는 개념에도 둔감했다. 죽음은 전혀 현실성이 없었다. 솔직히 비웃었다. 설마 죽음이 내 존재를 집어삼키랴. 심지어 죽음이 뭐 대수인가, 하는 식으로 가벼이 생각했다. 깨달은 자의 인식과는 엄연히 차원이 다른 죽음에 관한 고찰이었다. 어쨌든 주검은 그와는 무관한, 그저 바라보이는 대상이었다. 순전히 억지요, 허세였다. 아마도 '이식'이라는 최후통첩을 받지 않았다면, 계속 그 단계에 머물러 있을 터였다. 그만큼 '이식'이란 말은 핵폭탄이었다. 한편으론 헐렁한 삶을 단번에 탄탄하게 조였다. 그는 비로소 죽음과 삶의 경계선을 뚜렷이 인식했다. 한가히 죽음을 부정하고 있을 짬이 없었다. 시간이 촉박했다. 망각하고 있던 가까운 죽음이 벌떡벌떡 일어났다. 조부모, 부모, 누나의 죽음, 주검들……. 그 주검들이 나뒹구는 현장에 그의 주검이 합류하는 일이었다. 문득 '완전한 죽음'이라는 말이 떠올랐다. 언젠가 절집에서 얻어들은 말이다.

그의 동네 언덕바지에 아담한 절집이 있다. 평범한 주택을

개조해 법당을 꾸며 부처를 안치했다. 그는 오가다가 간간이 그곳을 기웃거렸다. 한여름 그날은 마침 어느 영령의 사십구재 날이었다. 완전한 죽음을 위해서 우리 다함께 정진합시다. 나무관세음보살. 스님의 마지막 법문 구절이 유독 그의 가슴에 와 닿았다. 완전한 죽음, 참으로 생소한 말이었다. 석가의 열반 의미이기도 한 그 말은 이 세상에 다시 돌아오지 않아도 되는 죽음이었다. 그는 온몸에 전율을 느꼈다. 완전한 죽음을 맞으려면 지난한 수행 끝에 성취하는 고도의 깨달음이 필수였다. 그가 제아무리 심신을 연마, 수련하며 수천 번을 죽는다고 해도 아스라이 멀고도 먼 길이었다. 일 퍼센트의 가능성도 희박했다. 그러나 그는 법당의 구석자리에서 완전한 죽음을 꿈꾸었다. 바람 한 점 없는 날씨였다. 땀으로 온몸이 끈적거렸으나 참 행복한 순간이었다.

그는 틈만 나면 '이식'이란 단어를 곱씹었다. 그럴 때마다 그날의 법문이 전광석화처럼 떠올랐다. 착잡하다 못해 참담했다. 그의 죽음은 한낱 현실을 떠난 비현실적인 상황일 뿐이었다. 붉은 피가 팔딱거리는 육신이 딱딱하게 굳어 무생물로 변하는 물리적인 현상이었다. 그는 죽음의 동아줄에 끌려가는 가엾고 연약한 인간이었다. 아니 거미줄에 걸린 한 마리 파리였다. 허무했다. 이때다 싶었는지, 음산한 기운이 온몸에 감돌았다. 알 수 없는 시신들이 겹겹으로 그를 에워쌌다. 그를 유혹했다. 장기를 구할 길은 막막한데, 상태는 급속도로 악화되어갔다. 뾰족한 수가 없었다. 일단 병동에 몸을 가두었다. 고작 입원이 최선책이었다.

입원한 지 두 주일이 훌쩍 지났다. 자정이 뭉그적대지도 않고 쉬이 달아난 밤이었다. 간혹 당직 간호사의 발소리만이 정적 속으로 기어들었다. 무기력한 상태에서도 그의 청각과 시신경은 예민했다. 어렴풋이 발소리를 들으며 눈꺼풀이 당기는 순간이었다. 난데없이 한 사내의 시신이 그를 흔들었다. 번뜩 눈을 떴다. 시신은 얼음관 속에 누워 있었다. 빙하기의 꽁꽁 얼어붙은 기류가 흘렀다. 시신은 세상 안에 있으면서도 세상 밖에 나가 있었다. 시신으로 존재하는 사내는 이미 사내가 아니었다. 존재 의미를 상실한 허상이었다. 다시 실상으로 회복시킬 수는 없는 걸까. 방법은 한 가지, 세상 안으로 불러들이는 일이었다. 그깟 얼음장 하나 못 깨? 빨리 일어나 탈출하란 말이야! 그는 사력을 다해 소리쳤다. 언뜻 회백색 시신의 눈꺼풀이 바르르 떨렸다. 시신, 아니 사내의 눈이 서서히 열렸다. 사내는 어렵사리 두 발을 땅에 딛고 서서 심호흡을 했다. 하늘을 올려다보았다. 그는 재바르게 머리 위에서 발끝까지 사내의 전신을 훑었다. 아뿔싸, 사내의 발밑은 아슬히 깎인 수만 길의 벼랑 끝이었다. 설상가상으로 벼랑 아래에서 뜨거운 불기둥이 솟구쳤다. 불길은 당장이라도 사내를 덮칠 기세로 요동쳤다. 사내는 혼신을 다해 허우적거렸다. 비를 맞은 것처럼 땀이 뚝뚝 떨어졌다. 뭔가가 사내의 손에 덥석 잡혔다. 아, 사내는 깊은 신음을 토하며 고개를 번쩍 들었다. 아내의 팔이었다. 아내의 팔이 흔들거렸다. 사내는 아내의 한쪽 팔에 죽기 살기로 매달렸다. 가까스로 아내의 목소리가 그를 깨웠다.

엄마가 왜 모르겠니? 얼마나 겁이 나고 두려울지……. 그래도 아빠를 살리려면 다른 방도가 없잖아? 당장 대기자 명단에 올려도 빨라야 5년이라는데……. 지금 상태론 두 달도 못 버티실 거래. 옆방, 간경화증 아줌마 봤지? 아들이 검사받았다고 하면서 펑펑 울더라. 핏줄밖에 없어. 이제 작은아빤 포기하자. 오직 너희들만이 희망이야. 혜미야, 연미야, 제발 부탁한다. 엄마가 암 수술만 안 했어도…….

어떡해, 엄마. 도저히 자신이 없어. 용기가 나질 않는다구. 생각만 해도 너무 무섭단 말이야.

그래, 엄마. 아빠 없는 세상은 상상도 하기 싫어. 근데 언니처럼 나도 정말 겁이 나.

아내와 두 딸들이 나누는 대화였다. 막내는 자리에 없는 걸까. 몽롱하던 그의 정신이 확 깨어났다. 머리칼이 한 올 한 올 주뼛주뼛 일어서는 느낌이었다. 아내는 딸들에게 하소연을 하고 있었다. 아니 넋두리까지 늘어놓으며 지질하게 굴었다. 동생 이도가 거부했을 때와는 또 다른, 격한 감정이 치밀었다. 벌떡 일어나 한바탕 내지르고 싶었다. 니들이 감히 아빠를 외면해? 내가 죽기를 바란단 말이지. 괘씸한 것들! 이제부턴 아빠라고 부르지도 마. 그는 배신감으로 부들부들 떨었다. 분심으로 심장이 파열되는 듯했다. 눈을 뜨고 싶지 않았다. 나는 너희들에게 당당하게 받을 권리가 있다구. 아니 빼앗을 권리도 있어. 생명을 준 아빠니까. 그는 입속으로 되뇌다 말고 천천히 숨을 골랐다. 딸들이 가여웠다. 채 스무 살도 되지 않은 나이였다. 배를 가르고 장기를 끄집어내는 일이 왜 무섭지 않겠는가. 자칫 마취에서 풀리지 않을 경우도 상상될 테고. 아내 역시 가엾고 불쌍했다. 상기하고 싶지 않은 독버섯 같은 암세포. 그가 투석을 시작하기 전, 아내는 오른쪽 유방을 절제하고 항암 치료를 받았다. 그 과정은 지옥이었다. 아내의 몸피는 딸들처럼 작아지고, 볼륨감이 넘치던 풍성한 머리도 뭉텅뭉텅 빠졌다. 훤히 드러난 두피, 그 깊은 상흔……. 아내를 위해 할 수 있는 일이 없었다. 그는 고작 어깨에 닿는 굵은 웨이브 가발을 샀다. 딸들은 제각각 모자를 선물했다. 아내는 가발 위에 비니 모자를 즐겨 쓰고 다녔다.

꽃샘추위로 때 아닌 진눈깨비가 질척거리는 날이었다. 그는 주황색 비니 모자를 쓴 아내를 안동하고 병원에 갔다. 주치의는 갈색 회전의자에 파묻히듯 앉아 그를 쳐다보았다. 피곤은 금물입니다. 피곤하다, 이런 말이 튀어나온다면 그건 곧 암세포를 다시 불러들인다는 신호죠. 명심하십시오. 조언이든 당부든, 한심하기 짝이 없었다. 환자를 내놓고 무시하고 있었다. 누군들 피곤하게 살고 싶은 사람이 있단 말인가. 아내는 결코 공주처럼 살 수 있는 인생이 아니었다. 주어진 삶이 워낙 고단했다. 그렇다면 아내는 재발의 시한폭탄을 옆구리에 끼고 살 수밖에 없었다. 아내가 걷는 길은 가도 가도 깜깜한 밤길이었다. 시한폭탄을 제거했다 싶으니, 그의 신장에 빨간불이 켜진 것이다.

그는 갈증으로 목이 탔다. 머리맡에 물 컵이 있지만, 미적미적 마른침만 삼켰다. 아내와 딸들은 한동안 침묵했다. 유리그릇이 떨어질 듯한 정적……. 불현듯 한 아이가 그의 뇌리를 스쳤다. 어린 꼬마로만 기억에 남아 있는, 유일한 아들 철민이었다.

철민이 세 살 때에 그는 지금의 아내를 만났다. 쌍둥이답게 띠앗이 남달랐던 그와 이도가 찰떡처럼 붙어 다니던 시절이었다. 두 사람은 한 택시 회사에서 기사로 일했다. 동료들은 빈번히 그와 이도를 헷갈리고 볼멘소리를 냈다. 제발 부탁해요. 한 사람이 코끝에 점을 찍든지 머리스타일을 바꾸든지……. 왜들 그러실까? 우리의 트레이드마크인데. 그들은 타고난 곱슬머리로 이마를 덮고 바짝 옆머리를 밀어붙인 스타일을 한결같이 고수했다. 갓 스물 둘인 그녀는 단골 기사식당의 종업원이었다. 청바지에 긴 머리를 하나로 높이 올려 묶은 그녀. 그녀는 무척 부니는 타입으로 늘 방실거렸다.

장마철이었다. 해가 먹구름 속으로 숨은 바람에 노을도 없이 어둠이 깃들었다. 저녁 무렵에 소나기가 내리리라는 기상

예보는 빗나갔다. 밤이 깊어가도 습기는 흘러내리지 않고 공기만 음습했다. 마침 식당 근처에 손님을 내려주고 지나던 중이었다. 식당 안에서 희미한 불빛이 새어나왔다. 급브레이크를 밟았다. 텅 빈 홀에 그녀 홀로 뎅그러니 앉아 소주잔을 기울이고 있었다. 그는 그녀의 맞은편 의자를 끌어당겼다. 그녀는 기다렸다는 듯 주절주절 얘기를 늘어놓았다. 왠지 취기어린 그녀의 목소리가 좋았다. 혀에 소주가 달달하게 감겼다. 피붙이 하나 없는 외롭고 고단한 그녀의 여정에 공감했다. 별빛 하나 없는 밤보다도 그녀의 몸에 밴 어둠이 더 짙었다. 그녀에게서 어둠을 말끔히 거두어낼 수만 있다면……. 심장이 파도처럼 출렁거렸다. 그는 연거푸 잔을 비웠다. 그녀 못지않게 취기가 오르는데, 난데없이 천둥소리가 진동했다. 금세 유리문이 흔들리면서 폭풍우가 몰아쳤다. 그녀는 비틀거리며 다짜고짜 그의 가슴으로 파고들었다. 새가슴처럼 작고 얄팍한 가슴이 그의 가슴 위에서 팔딱거렸다. 넌, 혼자가 아냐. 나만 믿어! 그는 폭풍우 속에 핀 한 송이 들꽃을 보았다. 그는 위태로운 들꽃을 보호해야만 했다. 그는 튼실한 소나무였다.

몰라요, 몰라. 착각했단 말예요. 일도 오빠인 줄은 꿈에도 몰랐다구요. 그녀는 더욱 더 끈질기게 파고들면서 종알거렸다. 이도는 한창 결혼 말이 오가던 싱글이었다. 주인아주머니가 은근히 그녀를 부추겼다는 걸 알았다. 그는 잠시 아찔했으나 이내 정신을 되찾았다. 용기백배했다. 인연이라면 인연이었다. 아니 필연적인 운명이었다. 하필 왜 그 시간대에 그가 식당 앞을 지나갔으며, 그녀 또한 왜 그를 이도로 착각했겠는가.

그는 이혼을 결심했다. 아내와의 지루한 신경전에 이도가 눈에 불을 켜고 끼어들었다. 무조건 그녀와의 관계를 끊으라며 길길이 날뛰었다. 도대체 무슨 짓거리야? 형은 개맹이가 다 풀어졌단 말이야. 아무렴, 이도가 백 번 천 번 옳았다. 하지만 그는 되트집을 잡고 역공세를 펼쳤다. 잘난 체하긴……. 넌 지금 시샘으로 눈이 홀라당 뒤집혀 있어. 뭐라구? 눈이 뒤집힌 사람은 바로 형이야, 형! 상관 마! 그는 날파람 있게 집을 나와 그녀와 동거에 들어갔다. 하루 이틀 일주일이 훌쩍 지나고, 3교대 근무가 있던 날이었다. 차를 주차하고 사무실에 들렀다 나오는데, 불쑥 이도가 앞을 가로막았다. 이른 아침의 고즈넉한 회사 공터는 충분히 넓었다. 먼저 멱살잡이를 한 이도가 점퍼를 벗어던지고 주먹을 날렸다. 그도 질세라 맞받아쳤다. 얼마나 서로 치고 받았던가. 결국 두 사람은 동시에 나동그라졌다. 그는 안간힘을 쓰며 엉덩이를 들고 몸을 일으켰다. 어떡하든 이도보다 먼저 일어나야 했다. 이제 와서 백기를 흔들 수는 없었다. 이도가 입에 거품을 물고 최후 선언인지 뭔지를 내뱉었다.

넌, 이제부터 형도 아냐. 유부남 주제에…… 치졸해, 야비해, 뻔뻔하고 추잡해. 넌, 처자식은 물론 내 인생까지 훔쳐버린 도둑, 도둑놈이야! 절대 용서 못해. 죽을 때까지……. 법이 심판하지 않으면 반드시 하늘이 응징할 테니 두고 봐. 제기랄, 너 같은 새끼는 절대 제 명대로 못 살아!

이도의 눈이 매의 눈처럼 번뜩거렸다. 그는 그만 온몸이 경직되는 느낌이었다. 손발이 꿈쩍도 하지 않았다. 내 인생을 훔쳤다는 소리가, 도둑놈이라는 폭언이 계속 윙윙 울렸다. 머리를 짓눌렀다. 그는 뚜벅뚜벅 멀어져가는 이도의 등을 외면하고 도리머리를 흔들었다. 어쨌든 걸림돌이던 이도가 제풀에 떨어져 나간 것이다. 기회를 놓치면 안 되었다. 이혼 수속을 밟는 게 급선무였다. 아내 앞에 무릎을 꿇고 두 손을 싹싹 부비며 애걸복걸했다. 살아야겠다고, 살고 싶다고, 살려달라고, 자진이라도 할 것처럼 덤볐다. 완전한 구걸이었다. 차라리 죽어! 아내는 요지부동, 막말도 서슴지 않고 내질렀다. 그는 최악의 카드를 꺼내 들었다. 세상에서 가장 천진한 철민이 쌔근쌔근 자고 있었다. 그는 지킬 박사가 제조한 약을 냉큼 삼켜버린 하이드였다. 눈을 부라리고 검지 끝으로 철민의 코끝을 조준했다.

다 알고 있었지. 저놈은 내 씨가 아냐. 내 자식이 아니란 말이야. 알아? 에잇! 내가 꼭 이런 말까지 씹어줘야겠어?

말을 마친 그는 한순간 휘청거렸다. 다리에 힘이 풀렸다. 혼이 달아난 육신은 허공을 딛고 간신히 섰다. 아내는 새파랗게 질린 얼굴로 부르르 떨었다. 아내와 그의 눈동자가 날카롭게 충돌했다. 아내의 시선이 아래로 툭 떨어졌다. 아내는 무릎을 꺾고 방바닥에 털썩 주저앉았다. 그는 회심의 미소를 지었다. 남다르게 꺽진 아내의 성정도 그의 악마성을 떨쳐내기에는 역부족이었다. 맥을 못 추었다. 아내는 유전자 검사니 뭐니 하는 짓 따위로 발목을 잡지 않았다. 남편이나 아버지라는 그의 직책을 부정하는 것으로 족했다. 그의 도장이 찍힌 이혼서류에 아내의 도장도 찍혔다. 그 뒤로 아내와 아들은 남보다 더 못한 관계가 되어버렸다. 그들은 그 동안에 단 한 번도 그를 찾지 않았고, 그 역시 그들을 찾을 일이 없었다.

※

그는 줄곧 몸을 뒤채다가 그만 일어나 앉고 만다. 영 싱숭생숭하다. 이 밤만 지새면 드디어 내일은 수술을 받는다. 마음은 당장 국토순례라도 할 것 같은데, 몸은 천근만근이다. 수술 날짜가 잡히고 나자 이상하게 소화 기능이 떨어졌다. 숟가락 들기가 겁이 났다. 아내는 지궁스러웠다. 병원 음식으론 굶어죽겠다며 죽을 쑤어 날랐다. 전복죽, 녹두죽, 흑임자죽이 번갈아 식판에 올랐지만, 도무지 입맛이 당기지 않았다. 건입맛만 다셨다. 어제는 녹두죽 몇 숟갈로 겨우 목을 축였다. 오늘은 수술 준비 과정으로 종일 금식에 들어갔다. 그런데도 아침부터 메스껍다 못해 구토가 올라왔다. 오목가슴 아래가 지금도 칼에 베인 것처럼 쓰리다. 왠지 조짐이 좋지 않다. 급격히 신장 기능이 떨어진 것인가. 그러고 보니 소변 본 지가 한참 지났는데, 전혀 요의가 느껴지지 않는다. 무사히 수술을 마칠 수 있을까.

병실에는 그와 철민, 단 둘뿐이다. 2인실이라 가족이 쉴 수 있는 간이침대가 두 개나 있지만, 아내와 딸들을 그냥 집으로 쫓아 보냈다. 철민은 벌써 깊은 잠에 떨어졌다. 숨소리가 퍽이나 우렁차다. 딸들에게서 느끼지 못했던 남다른 기운이 느껴진다. 더없이 든든하고 믿음직스럽다. 수술실에서도 지금처럼 나란히 누워 수술을 받을 것이다. 아드님이죠? 저녁참에 들른 여낙낙한 담당 수간호사가 물었다. 네, 물론이죠. 제 자식입니다. 그는 스스럼없이 말을 받았다. 사실 수술할 날을 기다리면서 내심 불안하고 초조했다. 철민은 언제라도 심경의 변화를 일으킬 수 있었다. 병실 문이 열리며 철민이 얼굴을 들이밀었을 때, 그는 절로 안도의 숨을 내뿜었다. 철민의 얼굴을 얼보며 진심으로 고맙고 또 미안하다는 말을 애써 감추고 운을 뗐다. 정말 괜찮겠냐? 지금이라도 내키지 않으면……. 전 아들이에요. 아버진…… 아버진 제 아버지잖아요. 철민은 단번에 그의 말을 자르고 나섰다. 그와 꼭 닮은 철민의 가느다란 눈언저리에 물기가 감돌았다.

철민을 찾아 나서던 그 날이 새삼 생생하게 떠오른다. 구름 한 점 없이 푸르고 높은 하늘 아래 그보다 더 용감한 사내는 없었다. 그만이 감행할 수 있는 활보였다. 점심 뒤에 밀려오는 낮잠을 떨치고 외출을 서둘렀다. 환자복을 벗고 사물함에서 바지와 티셔츠를 꺼내 입었다. 세면실의 거울 앞에 섰다. 물에 불린 듯 퉁퉁 부은 푸석푸석한 몰골. 그날따라 병색이 유난히 더 짙었다. 슬그머니 양손으로 볼을 감싸보다가 소스라치게 놀랐다. 아무리 탄력을 잃었다고 해도, 찰떡처럼 몰캉한 느낌이라니. 녀석을 만나야 해. 이대로 죽을 순 없어. 기어이 녀석을 찾아야 해. 그는 거울 속에서 주먹을 움켜쥐고 입술을 깨물었다. 모녀지간에 벌어진 생생한 눈물의 현장도 이미 목격한 터였다. 우물쭈물하기에는 1분 1초가 아까웠다. 침대 밑에서 랜드로바 슈즈를 꺼내 신었다. 갈색 슈즈는 색이 바라고 가죽이 터서 희끗희끗했다. 뒤축도 닳을 대로 닳아 볼품이라곤 없었다. 하지만 애지중지하는 신발이었다. 세 딸들이 용돈을 모아 마련한 생일 선물이기에. 자식이란 존재는 생각만 해도 웃음이 난다.

철민을 까맣게 잊고 살았던 긴 세월. 그의 뇌리에 철민은 여전히 세 살배기 모습으로만 각인되어 있었다. 빡빡 깎은 머리에 통통한 볼……. 녀석이 팬티 바람으로 세발자전거 페달을 힘차게 굴렸다. 신나게 씽씽 달리는 녀석의 꽁무니를 조무래기들이 기를 쓰고 쫓는다. 공터 한쪽에 서 있는 우람한 느티나무. 200년 남짓 된 수령을 뽐내듯, 무성한 이파리들이 햇빛에 반짝거린다.

느닷없이 어디선가 매미들이 기를 쓰고 울어댔다. 그는 허겁지겁 병원을 빠져나왔다. 느티나무가 있는 동네로 가는 길은 눈에 훤했다. 먼저 지하철을 탔다가 버스로 환승하려고 역사를 빠져나왔다. 버스 번호가 바뀌었으나 하등 문제가 없었다. 그때 그 자리, 제자리를 지키는 학교 앞 정류소에서 내렸다. 그는 여전히 따닥따닥 붙은 상가 간판을 흘낏거리면서 경사진 2차선 도로를 따라 걸었다. 예전과 별 다름없이 구질구질하고 복잡했다. 한길을 벗어나니, 그냥 마음이 설렜다. 참 낯간지러운 요물이 마음이었다. 마치 타지를 떠돌다 귀향하는 느낌이랄까. 마음이 눅진했다.

저만치 느티나무가 시야에 들어왔다. 느티나무를 지나 조금치만 더 걷다보면 골목 어귀에 이를 터였다. 철민이 여태 그 집에서 살고 있을 확률은 희박하지만, 딴 도리가 없었다. 점점 마음이 바빠졌다. 느티나무를 목표로 냅다 달렸다. 금세 다리가 후들거리면서 숨이 차올랐다. 금방이라도 땅바닥에 고꾸라지지 싶었다. 마음과 몸은 이미 남남이었다. 점점 발소리가 불규칙적으로 따라왔다. 돌연 병원 1층 로비에 부착된 대형 거울이 나타났다. 거울 속의 얼굴이 콧방귀를 뀌며 입술을 비죽거렸다. 야, 혼자 보기 아깝네. 그 병폐한 몸으로 살겠다고 달려온 꼬락서니라니. 그는 맥이 탁 풀렸다. 털버덕 주저앉았다. 숨이 가쁘고 목구멍이 간질거렸다. 그만 헛웃음이 허공을 갈랐다. 헛웃음 사이로 비아냥대던 얼굴이 출몰했다.

우스꽝스러운 어릿광대인가 하면 바보 같은 빙충이고, 또 간사한 철면피였다. 아니 아니다. 이놈도 저놈도 다 틀렸다. 그는 머리를 절레절레 흔들며 웅얼거렸다. 그래. 난, 나는 인간도 아니야. 그는 눈을 내리깔면서 고개를 푹 숙였다. 랜드로바가 한눈에 들어왔다. 그새 누가 수를 놓았는지, 랜드로바 테두리가 빙 둘러 새까맸다. 그런데 무엇인가가 아삼아삼했다. 그것은 개미떼였다. 개미들이 우왕좌왕 분주히 꼼지락거렸다. 분명 길의 향방을 잃어 방황하고 있음이 역력했다. 한 마리를 잡아 손바닥 위에 올려보았다. 깨알만 한 개미의 발들이 쉴 틈 없이 재게 놀았다. 제아무리 생명체라도 보잘 것 없는 미물이었다. 개미를 다시 땅바닥에 내려놓았다. 땅에 발을 디딘 개미를 확인하는 찰나, 개미는 자취를 감춰버렸다. 그 빈자리에 무엇인가 나타나 허둥거렸다. 개미는 아니었다. 개미만한 몸집의 인간이었다. 온몸에 소름이 쫙 돋았다. 바로 그였다. 그가 개미인지 개미가 그인지, 알쏭달쏭 모호했다. 어깻숨이 나왔다. 불현듯 한 생각이 밀려들었다. 난 환자야. 어서 빨리 병원으로 되돌아가야 해. 그는 엉거주춤 허리를 세웠지만, 금세 엉덩방아를 찧고 말았다. 다리가 허청거렸다. 두 손으로 땅을 짚고서야 겨우 척추를 폈다. 최소한의 보폭으로 쓰러질 듯 쓰러질 듯 나아갔다. 그런데 병원 쪽이 아닌, 느티나무 쪽으로 가고 있었다. 그래, 일단 좀 쉬자. 느티나무 둥치에 기대앉을 수 있다면 얼마나 좋을까. 그는 온힘을 다해 종아리에 힘을 주고 아랫배에도 힘을 실었다. 한 발을 제법 널찍하게 내딛으며 고개를 들어 초점을 모았다. 참 괴이한 현상이었다. 느티나무가 좀 전보다 훨씬 더 멀리 있었다. 형상조차도 안개에 파묻힌 듯 흐릿흐릿했다. 그뿐이 아니었다. 눈앞의 모든 형상이 불투명한 형체로 뒤섞였다. 그 틈새로 한 사람의 실루엣이 희미하게 나타났다. 실루엣은 차츰차츰 또렷한 형상으로 다가왔다. 느티나무를 배경으로 한 청년이 의젓하게 서 있었다. 청년의 눈에서 발광체처럼 빛이 분사되었다. 청년의 눈망울에 그의 눈망울이 겹쳤다. 이도였다. 아니 이도가 아니었다. 이 세상에 단 한 사람으로 존재하는 그의 모습이었다. 누구, 누구십니까? 그의 귀를 울리는 소리인가 하면, 또 그의 목구멍에서 새어나오는 소리였다. 그의 손과 또 다른 그의 손은 어느 틈에 겹으로 포개졌다. 열기가 온몸을 휘돌았다.

숨소리가 잦아드는가 싶더니 철민이 등을 보이며 옆으로 돌아눕는다. 뒤통수가 툭 불거진 것도 영락없이 그를 쏙 빼닮았다. 그의 유전인자가 그의 몸 밖에서 팔딱거린다. 그와 한 공간에서 숨을 쉰다. 그는 더욱 더 뜨거워지는 가슴으로 철민의 뒷머리를 쓸어본다.

철민이 잠들기 전이었다. 그는 지나가는 말투로 슬쩍 제 엄마의 안부를 물었다. 건강하게 잘 지내세요. 철민은 짤막하게 답하고 입을 다물었다. 어색한 침묵이 흘렀다. 철민 엄마만 떠올리면 그는 지금도 몸이 오싹거린다. 가슴이 먹먹하다 못해 심장이 오그라든다. 잔혹한 기억이다. 그는 가슴을 웅크리고 깍지 낀 손으로 머리를 감싼다. 언젠가는 그 치졸한 행태가 고스란히 드러날 것이다. 두렵다. 지금이라도 철민에게 털어놓을까. 내 아들, 내 핏줄 앞에서 노심초사할 이유가 없다. 남들이 제아무리 비웃고 짓까불지언정, 내 아들은 나를 방어하고 감싸줄 터다. 아니다. 모를 일이다. 왠지 자신이 없다. 괜한 토설로 마지막 희망이 와르르 무너질 수도 있다. 아니다. 부질없는 기우다. 그런 문제라면 위험인물은 단 한 사람, 철민 엄마다. 만약 이 자리에 철민 엄마가 나타난다면 모든 상황은 끝장이다. 이 목숨 줄을 쥐락펴락할 사람은 오직 철민 엄마뿐이다. 그는 미간을 찌푸리며 긴 한숨을 내뿜는다.

그는 실내등 스위치를 내린 뒤 머리맡의 조명등마저 끄고 눕는다. 어둠이 순식간에 철민의 모습을 삼켜버린다. 문득 수술실, 수술침대에 누워 있는 듯한 착각에 빠진다. 최고도의 조명 아래에서도 지금처럼 철민의 모습은 깜깜할 것이다. 물론 그의 몸 안으로 철민의 몸이 들어오는 것도 감지할 수 없을 터다. 하지만 시나리오대로 그는 반드시 어둠의 터널을 빠져나와 새 사람이 될 거였다. 옆구리의 통증이나 어지럼증 따위는 추억에 불과할 것이다. 이제 현실은 탄탄대로다. 운전대를 잡을 일만 남았다. 그는 워낙 길눈이 밝기로 유명했다. 내비게이션이 필요 없는 운전의 고수였다. 그는 가만히 자신의 인생길을 더듬어 본다. 지금까지 살아온, 앞으로 살아갈 인생길……. 그는 철민 쪽으로 슬며시 손을 뻗는다. 살아계셔서 정말 고맙습니다. 감사합니다. 저는 아버지가 저 세상에 계신 줄로만 알았거든요. 녀석은 그의 손을 놓지 않은 채 고맙다는 말을 몇 번이고 되풀이했다. 내 자식, 내 아들. 그는 그만 울컥한다. 기어이 목이 멘다. 순간 병실 문이 거칠게 열리면서 여자의 새된 목청이 조용한 실내를 휘젓는다. 내 아들 어디 있어? 어디 있냐구! 병동의 훤한 불빛이 삽시간에 병실로 침입한다. 고리눈을 한 중년 여인이 고개를 빳빳이 들고 그를 노려본다.

이 도둑놈아! 대체 이게 무슨 짓이야? 우리가 그냥 문문해 보여? 뻔뻔해도 유분수지, 생때같은 내 아들을 훔쳐오다니. 야, 너 같은 인간 살리려고 내가 아들 키운 줄 알아?

후다닥 몸을 일으킨 철민이 눈을 똥그랗게 뜬다.

못된 놈! 감히 엄마 몰래 이딴 짓을 하고 다녀? 정신 차려, 이놈아! 이 인간은 네 아버지가 아니라 원수야, 원수. 피? 피가 땡겨? 웃기지 말라 그래. 야, 너도 인간이냐? 무슨 낯짝으로 아들 몸에 칼을 대? 니가 정말 애비라면 그냥 죽어. 죽으라구!

엄마, 나가요 제발. 나가서 얘기해요.

철민이 대뜸 제 엄마의 손을 잡아끈다.

비켜! 이놈아. 20년 전, 그 섬뜩했던 순간을 니가 알아? 이 인간이 내 가슴에 어떻게 비수를 꽂았는데……. 그 현장 증인이 바로 너야. 이 인간이 니가 자기 씨가 아니라고 펄펄 뛰면서 우리를 내쳤단 말이다!

철민이 하얗게 질린 얼굴로 그를 바라본다. 기어이 올 것이 왔다. 그리도 불안하던 최악의 상황이 벌어지고 말았다. 머리에 쥐가 난다. 어지럽다. 무슨 말을 어떻게 해야 할지 막막하다. 변명의 건더기, 해명할 여지가 눈곱만큼도 없다는 사실에 절망한다. 그는 안타까이 철민을 바라본다. 철민이 눈을 질끈 감는다 싶은데, 어느새 옴팡진 제 엄마를 끌고 앞장선다. 그의 머릿속으로 걷잡을 길 없는 회오리바람이 몰아친다.

뎅그러니 혼자 남은 병실은 오솔하기 그지없다. 그는 철민이 누웠던 텅 빈 침대를 허우룩한 심정으로 바라본다. 침대 발치에서 한 사람의 그림자가 서성거린다. 삶에 연연해 아등바등하던 한 사내가 잽싸게 그림자 속으로 빨려든다. 익숙한 모습인데도 왠지 낯설다. 고개를 돌린다. 아직도 문이 열려 있다. 그는 문을 닫으려고 침대의 프레임을 잡고서 내려선다. 여보! 난데없이 아내가 사뿐사뿐 걸어온다. 배꽃처럼 환한 얼굴이다. 내일 수술 시간에 맞춰 오기로 했는데, 무슨 일인가. 아내는 실내등 스위치를 올리고 손가방에서 봉투를 꺼낸다.

깜박할 뻔했어요. 조의금이에요. 수술 전에 당신이 알아야 할 것 같아서…….

봉투를 받아든 그의 손이 떨린다.

이번에 인생 공부 참 많이 했어요. 사람들이 좀 그렇던데요? 우편과 메일로 끝낼 일이 절대 아니더라구요. 그 동안 발품께나 팔았어요. 처음엔 쑥스럽고 부끄럽기도 했지만, 당신 명줄이 달렸다고 생각하니……. 좀 모자란 건 꼭 서방님한테 받아낼 거예요. 제아무리 돌 심장이라도, 신장을 안 줬으면 수술비라도 보태야죠. 안 그래요? 어쨌거나 이젠 준비 완료에요.

너스레를 떠는 아내의 목청이 더없이 쾌활하고 애교스럽다. 한때 그의 목청도 어느 사내 못지않게 힘이 넘치고 윤기가 흘렀다. 아니 이도처럼 탄탄하고 무게감이 있었다. 형, 살아날 수 있지? 꼭 살아서 우린 죽 함께 가는 거야. 한창 때의 이도의 목소리가 어렴풋이 들려오는데, 점점 머릿속이 뿌예진다. 세포가 하나하나 소멸되어 가는 듯하다. 간신히 침대에 올라앉아 손을 내저으며 아내를 보낸다.

그는 맥없이 침대에 엎드린다. 지금까지 살아온 세월이 일시에 그를 덮친다. 그 기억의 무게가 결코 만만치 않다. 너무 버겁다. 존재하는 기억의 마지막 한 점까지 깡그리 망각하고 싶다. 그는 슬며시 옆으로 돌아눕는다. 좀 전의 철민과 똑같은 자세다. 이대로 푹 잠에 떨어지고 싶다. 꿈이라도 꾼다면, 삶과 죽음의 경계를 넘나들며 훨훨 날아다니고 싶다. 아니 그 꿈은 허황된 바람이다. 이제 그에게는 최후의 비장한 무기를 꺼내 들고 경계 너머로 뚜벅뚜벅 가는 일만 남았다. 그 누구도 눈치 채지 못하도록 실바람처럼 부드럽고 나비처럼 가벼이 날갯짓을 해야 한다. 그 모습이 예사롭지 않다. 지금까지의 모습 중에서 최고다. 마냥 깊고 편안해 보인다.

내비게이션 없이도 길을 찾아가던 순간순간이 두둥실 구름처럼 눈앞에 떠돈다. 그는 보이지 않는, 혼자만의 미소를 머금는다. 스스로를 훔칠 수 있는 그는 어쩌면 최고의 경지에 이른 도둑인지도 모른다.

열기구의 오색찬란한 풍선들이 하늘 가득히 둥둥 떠 있다. 뜻밖에 풍선 위에서

터키풍으로

어머니가 환하게 웃고 있다. 두 팔을 활짝 펴고 고개를 젖히고, 더없이 느꺼운 표정이다

터키풍으로

한 줄기의 빛이 쏟아진다. 동굴의 높고 높은 천장에 뚫린 구멍이 빛을 빨아들이고 있다. 소미는 시선을 발밑으로 떨어뜨렸다가 다시 한 번 올려다본다. 천상과 이어진 듯한 환한 빛줄기, 저 빛줄기를 타고 올라가면 어머니가 계신 곳에 다다를 수 있지 않을까. 그녀는 슬며시 눈을 감는다.

수직 갱도가 굉장하지 않습니까? 2,000여 년 전의 환기 시스템이죠. 그때부터 지금까지 쭉 환기를 담당하고 있는 일등공신이랍니다. 소미는 감았던 눈을 서서히 뜬다. 사실 그녀는 이 자리에 당도할 때까지 계속 긴장감을 늦추지 않았다. 앞사람을 놓칠세라 눈을 부릅뜨고 앞만 주시하며 걸었는데, 순간순간 땅 속을 걸어가고 있다는 생각에 가슴이 서늘해지곤 했다. 천천히 사방을 휘둘러본다. 암벽 외에는 아무것도 보이지 않는다. 문득 4차원 세계에 뚝 떨어진 게 아닌가 하는 의구심이 든다. 아니 SF 영화 속에 들어와 있는 기분이기도 하다. 도대체 여기가 지하 몇 층인가. 8층인가, 4층인가. 아치형 입구 앞에서 가이드가 분명히 설명했는데, 기억이 상막하다. 애써 머리를 쥐어짠다. 8층까지 발굴 작업을 마쳤으나 현재는 4층까지만 개방 중이라고 들은 것 같다. 그렇다면 꽤 다리품을 판 걸로 미루어 지하 4층일 확률이 높다. 아니면 아직 3층 정도이든지. 내려오는 내내 시야가 좀 흐릿한 대신, 상대적으로 감각이 많이 예민해지는 느낌이었다. 지하라는 선입관 때문에 불빛을 밟고 내려오는 데도 발가락이 자꾸 오그라들었다. 그녀는 주위에 옹기종기 모여 있는 일행들에게 눈을 돌린다. 구멍을 올려다보는 이, 암벽을 손으로 쓸어보는 이, 사진을 찍는 이들로 각양각색이다. 모두들 인천 공항 M카운터 앞에서 처음 만났다. 어머니는 없다. 그녀는 어깨를 움찔거린다. 자기도 모르게 일행들 속에서 어머니의 모습을 찾고 있었다.

지하도시가 진짜로 있어? 세상에나, 꼭 개미집 같은데? 사람들이 개미처럼 굴을 파고 살았단 말이잖아? 진짜 가보고 싶다. 어머니는 스스럼없이 손뼉을 치며 얼굴에 홍조까지 띠었다. 거실 바닥에는 세계 곳곳의 관광 여행 팸플릿이 어지러이 널려 있었다. 선택은 어머니의 몫이었다. 소미는 여행지의 폭을 한껏 넓혔다. 일본, 중국, 홍콩, 베트남, 태국, 인도네시아, 하와이, 프랑스, 이태리 등이었다. 아프리카, 중동, 남극, 북극만 더하면 세계지도를 그릴 판이었다. 어머니는 멀쩡했다. 지극히 정상적인 사고와 판단으로 터키를 점찍었다. 무엇보다도 카파도키아의 지하도시와 열기구가 어머니의 관심을 극대화시켰다. 어머니의 감각을 흔들어 깨웠다. 지하도시는 무척 어둡겠지? 내가 이제까지 살아왔던 세상과는 완전히 다를 거야. 난 왜 휘황찬란한 불빛 속에 있어야 마음이 놓였는지 몰라. 어머니는 머리를 가로저었다. 실제로 어머니는 어두운 것을 못 견뎌했다. 가게의 조명도 다른 가게보다 두 배는 밝았다. 집 안의 조명도 있는 대로 다 켜 놓곤 했다. 엄만 진짜로 번뜩이는 불빛을 무지 좋아해. 그렇지? 혹시 빛 중독잔가? 노, 노. 중독자씩이나? 어머니는 금세 고리눈을 하고 그녀를 흘겨보았다. 그녀는 얼른 또 다른 터키 팸플릿을 펼쳤다. 드높은 창공에 색색의 열기구들이 둥둥 떠 있었다. 긍께 내가 참말로 이걸 타고 하늘을 막 날아다닌단 말이제? 어머니의 입에서 고향 사투리가 불쑥 튀어나왔다. 몹시 흥분 상태라는 표시였다. 어머니의 양손이 북채가 되어 그녀의 등을 두드려댔다. 열기구를 타고 일출을 감상하거나 이국적인 풍광을 내려다본다는 것은 뒷전이었다. 하늘을 향해 부상할 수 있다는 현상만으로도 대만족이었다. 만약 어머니가 30대라면 누가 보아도 영락없는 키덜트(kid+adult)족이었다. 그녀는 고개를 주억거렸다. 마음이 한결 가뿐했다. 어머니는 치매라는 미덥지 않은 세계에 이제 갓 한 발을 담갔을 뿐이었다. 심한 건망증을 차용한, 깜박깜박 잊는다는 것 외에는 아주 정상적인 50대였다. 그녀도 어머니 못지않게 터키 여행을 꿈꾸며 행복했다. 카파도키아뿐만이 아니었다. 성 소피아 성당, 사프란블루, 앙카라, 에페소스, 콘야, 파묵칼레, 돌마바흐체 궁전 등 볼거리가 무궁무진했다. 터키는 충분히 매력 덩어리였다. 게다가 잔잔한 추억을 일깨우는 음악까지 소유하고 있었다. '터키 행진곡', 이 곡의 원 제목은 '터키풍으로'입니다. 모차르트의 소나타 11번 중에서 가장 유명한 3악장이죠. 아담한 키에 서글서글한 눈매를 지닌 음악 선생님의 낭랑한 목소리. 감색 원피스 목선에 달린 하얀 레이스는 선생님의 고운 얼굴을 한층 더 돋보이게 했다. 그녀는 음악 시간을 손꼽아 기다리는 중학생이었다. 당시 유럽은 세기의 강대국인 오스만 제국의 문화를 동경했습니다. 미지의 세계에 대한 동경이었죠. 선생님은 음악이 탄생한 배경 설명을 마치고 시디를 틀었다. 톡톡 튀는 경쾌한 '터키 행진곡'이 교실에 울려 퍼졌다. 평소에 익숙한 곡이었는데도 그날따라 더없이 친숙하게 느껴졌다. 무려 다섯 번이나 시디가 돌아가도 싫증이 나지 않았다. 세 번째로 곡이 흐를 때부터 반 친구들은 약속이나 한 듯 허밍으로 선율을 따라갔다. 그녀는 한 치도 망설이지 않고 터키 여행을 예약했다. 모녀가 난생 처음 떠나는 해외 여행길, 1년 전의 일이었다.

야, 그만 배돌고 얼릉 저쪽으로 쫓아가랑께. 뭣이냐, 방이 수천 개라든디 까딱 잘못하면 니 혼자 헤매기 좋단께. 아녀, 갇혀뿔기 십상이제. 소미는 화들짝 놀란다. 어머니에게 등을 떠밀리기라도 한 것처럼 허둥지둥 몸을 돌린다. 정신이 번쩍 든다. 남편의 회갑여행이라던 부부의 뒷모습이 금세 시야에 들어온다. 다행이다. 사프란 블루에서 자유시간을 가졌을 때, 그 부인과 동행을 했다. 사프란 블루는 아기자기한 동화 같은 분위기의 마을이었다. 사프란은 원래 그 지역에서 자라는 꽃 이름이다. 사실 마을은 꽃보다 오스만 시대의 전통 목조가옥으로 더 유명하다. 전통가옥 탓에 마을 전체가 세계문화유산으로 지정된 만큼, 전통가옥 800여 채가 법적 보호를 받고 있다. 그녀는 혼자서 미로처럼 얽힌 돌길을 천천히 걸었다. 무엇보다도 운치 있는 낮은 언덕에 눈길을 빼앗겼다. 언제 어디선가 많이 본 듯한 느낌. 정겨움이 일면서 또 한 편으론 가슴이 얇아지는 듯 쓰렸다. 혼자라는 생각이 휑한 바람을 일으켰다. 발목을 거세게 짓눌렀다. 골목 삼거리에 인접한 소박한 기념품 가게에 들어갔다. 자주색 사프란 꽃이 새겨진 찻잔 받침을 두 개 샀다. 가게를 나와 돌계단을 오르는데 문득 연둣빛 어머니의 찻잔이 떠올랐다. 그만 다리에 힘이 풀려 돌계단에 주저앉았다. 거실과 주방 사이에 놓인 장식장 안에는 부부잔이 줄줄이 진열되어 있다. 한 열 세트쯤 될까. 연둣빛 찻잔도 그 중의 한 세트다. 그녀는 평소 한 쌍의 머그잔을 놓고 커피도 마시고 물도 마신다. 허구한 날 부부 잔을 사들이는 이유가 뭐야? 애인 있나봐. 난 언제나 대환영입니다, 잘해보셔. 쓸데없이 흰소리는……. 너, 시집갈 때 모조리 챙겨줄 거다.

커피는 우아하게 마셔야 해. 어머니는 자판기가 타내는 종이 컵 커피를 경멸했다. 그녀는 두 개의 찻잔 받침이 자꾸 목에 걸렸다. 어머니와 마주앉아 커피를 마실 수 있다면…… 한순간 한 모금만이라도. 이룰 수 없는 꿈을 꾸어야 하는 잔인한 현실, 돌계단을 내려오다가 하마터면 넘어질 뻔했다. 그녀는 꼿꼿하게 허리를 펴고 조심스레 발을 옮겼다. 시야는 돌계단이 끝나는 지점에서 몇 걸음 넘어서다 말고 멈칫거렸다. 가슴이 철렁했다. 뎅그러니 혼자 돌길 위에 서 있는 여인. 부부 그림에서 빠져나온 부인이었다.

어머니도 그날, 휑한 뒤태로 아파트 단지의 보도블럭 위에 홀로 서 있었다. 자금자금한 벚꽃이 짙은 향기를 뿜어대는 봄날이었다. 묵은 아파트 단지의 봄 경관은 이렇듯 고목이 된 벚나무들이 꾸려갔다. 그날따라 소미의 귀가 시간이 한참 늦었다. 간신히 마지막 전철을 탔다. 홍대 거리에서 과친구 한 명이 소속된 밴드 공연이 있었다. 친한 친구는 아니었으나 과대표가 바람을 넣기도 하고, 홍대 거리라면 그녀가 사족을 못 썼다. 그 거리를 활보할 때마다 마치 그쪽 학교 학생이라도 된 느낌이었다. 괜히 어깨를 으쓱거리며 우쭐하곤 했다. 그녀는 아웃 서울인, 경기도 소재의 학교에 다니느라 하루 세 시간을 꼬박 지하철 안에서 부대꼈다. 아무튼 그녀는 벚꽃 세례를 받으며 걸음을 재촉했다. 가로등 불빛에 별빛처럼 반짝이던 꽃잎이 금세 하얀 카펫으로 발밑에 깔렸다. 사뿐사뿐 걸었다. 저만치 낯익은 실루엣이 나타났다. 엄마! 그녀는 반가움에 백팩의 무게도 잊고 냅다 달렸다. 어머니의 상반신이 한순간 기우뚱거렸다. 어머니는 그녀의 손이 닿기도 전에 맥없이 땅바닥에 주저앉았다.

그날, 소미는 알았다. 자기에게 출생의 비밀이 있다는 것을. 그것은 드라마에서나 선보이는 단골 메뉴가 아니었다. 그녀는 마치 불행의 현장에 등록된 사람처럼 곤혹스러웠다. 어머니는 평소와 달리 집 안의 모든 전등을 차단시켰다. 이때다 싶은 바깥 불빛이 음흉한 눈길로 거실을 기웃거렸다. 어머니는 소파 다리에 등을 기대고 앉았다. 미안하다, 넌 유소미가 아니라 윤소미야. 어머니는 단도직입적으로 훅 내뱉었다. 어머니의 입술이 파르르 떨렸다. 그녀는 당혹스러웠다. 어리벙벙한 표정으로 입을 앙다물고 침묵했다. 어머니와 이혼한 뒤에 한 번도 얼굴을 내밀지 않던 아버지. 그에 대한 의혹이 어색한 침묵 속에서 자연스럽게 풀렸다. 그녀는 이따금 아버지를 들먹이며 보고 싶어 했다. 그때마다 어머니는 날이 선 음성으로 윽박질렀다. 아버지 얘긴 꺼내지도 마! 그때처럼 어머니는 단호한 어조로 말했다. 니도 이젠 성인인데, 내가 말 못할 이유도 없지.

어머니는 좀 맹랑한 스타일이었다. 일찍이 대학을 허상으로 치부하고, 대학을 목표로 매달리는 친구들을 비웃었다. 고등학교 졸업식 다음날, 곧바로 상경해 동대문시장 고모네 옷가게에 입성했다. 돈을 벌고 싶은 욕망과 돈을 벌 수 있다는 자신감에 넘친 행동이었다. 구체적인 마스터플랜을 그려놓고, 고모를 멘토 삼아 불철주야 2년을 달렸다. 타고난 장사꾼이었다. 기를 쓰고 부모님에게 받아낸 대학 4년간 등록금과 그 동안의 월급을 밑천으로 숙녀복 가게 '날개'를 열었다.

'날개'의 옷들은 진짜 날개라도 단 것처럼 훨훨 날았다. 가게 운영의 최대 관건은 신상품 구입이었다. 직접 디자이너와 손을 잡고 생산 공장까지 가동시켜야 했다. 손을 잡은 디자이너가 소개해 준 공장 팀장이 소미의 생부, 윤 씨였다. 언제 결혼 약속했냐구. 난, 결혼이라는 틀이 딱 질색인 사람이야. 어머니보다 열 살이나 연상인 윤 씨는 어머니의 임신 사실에 경악했다. 든직한 구석은 없어도 그렇게 뒤듬바리인 줄은 몰랐다는 어머니. 어머니는 딱 부러지고 매서운 데가 있었다. 매달리기는커녕 군소리 없이 마음을 접었다. 하지만 막상 아이를 낳고 보니, 의외의 복병이 도사리고 있었다. '소미'라는 이름 앞에 붙여줄 성의 부재. 때맞춰 유 가가 접근했다. 허우대 멀쩡하지, 연하지, 웬 떡이냐 싶어서……. 야, 근데 20년 동안 코빼기도 보이지 않던 윤 씨가 턱 나타났지 뭐냐. 유령인 줄 알았다니깐. 어찌 니 존재를 알고 딸 운운하는데, 머리가 핑 돌더라. 당신, 또라이 아냐? 냅다 뻥 차버렸다. 근데 소미야, 왜 이리 가슴이 텅 빈 것 같을까? 지금도 꼭 허방을 딛고 서 있는 기분이란 말이야. 그녀는 혼란스러웠다. 조금은 쓸쓸하고 간지러운 말인 텅 빈 마음, 허방 따위를 쏟아내는 저의

가 무엇인가. 외로우신 건가. 그녀는 느닷없이 어머니가 세월을 훌쩍 뛰어넘은 노파로 보였다. 삐죽삐죽 올라오는 흰머리, 주름진 이마, 축 쳐진 볼……. 아, 어머니도 늙어가는구나. 늙을 수 있겠구나. 워낙 어머니는 동안이었다. 고객들이 깜박깜박 속았다. 막내 동생이에요. 어머니는 그녀를 가리키며 능청스럽게 대놓고 너스레를 떨었다. 모녀는 헤어스타일부터 똑같은 생머리였다. 이마를 가린 짧은 앞머리와 브래지어 선에서 찰랑거리는 뒷머리. 키도 엇비슷했다. 몸매는 어머니가 훨씬 더 날씬했다. 그녀는 66사이즈, 어머니는 44사이즈를 입었다, 외등이 꺼지고 부윰한 새벽빛이 번지기 시작했다. 그녀는 새벽이 좀먹는 어둠을 묵묵히 지켜보았다. 어머니의 시린 가슴이 떠나가는 어둠 끝에 묻어간다면……. 그녀는 스스로를 다독였다. 누구를 향한 분노인지도 불분명한, 스멀거리던 분노가 점차로 어둠처럼 수그러들었다. 언뜻 어머니의 눈에 여리고 잔잔한 새벽빛이 감돌았다. 어머니가 몸을 일으키고 서서 새벽빛이 번지는 밖을 응시했다. 그 모습이 눈보라 속에 외따로 선 겨울나무처럼 외롭고 슬퍼보였다. 그 외로움과 슬픔 속에는 그녀의 존재가 콕 박혀 있었다.

소미는 회갑여행 부부의 뒤를 바짝 따라붙는다. 한 사람이 겨우 지나갈 수 있는 통로가 나온다. 남편이 부인의 어깨를 감싸 안으며 부인을 앞세운다.

그녀는 사프란 블루의 찻집에서 부인과 마주앉았다. 좀 전에 샀어요. 부인이 백팩에서 로쿰을 꺼냈다. 주사위 모양의 자잘한 유채색 로쿰이 달콤하게 혀에 감겼다. 아이들이 모처럼 보내준 여행인데……. 뾰로통한 입술로 툴툴거리는 부인의 표정이 좀 익살스러워 보였다. 성소피아 성당까지는 아주 좋았다우. 술탄 모스크인가 블루 모스크인가, 거기서 글쎄, 어찌나 빈정상하던지……. 스테인드글라스와 푸른색 타일에 내가 깜박 혼을 뺏겼지 뭐유? 야, 천상의 빛깔이네. 다이아몬드나 사파이어는 울고 가겠네. 아유, 이건 명함도 못 내밀겠어. 난, 오팔반지가 붙어 있는 이 손가락을 쑥 내밀었다우. 뭐야? 뜬금없이 웬 보석 타령이야? 하여튼 당신은 격이 없어! 벌컥 불뚝성을 내는데, 얼굴이 화끈거려 얼른 주위를 돌아봤다니깐요. 격이 없다니, 사람 무시하는 덴 도가 튼 양반이라우. 그녀는 씩씩거리는 부인의 말을 들으면서 그만 울컥했다. 자기도 모르게 오목가슴까지 늘어뜨려진 목걸이를 움켜잡았다. 어머니의 청색 토파즈 펜던트. 어머니의 생일은 11월 22일, 11월의 탄생석인 토파즈는 청정한 동해바다 빛이었다. 그녀는 몰랐다. 보석보다도 더 귀한 선물이 있다는 것을. 아니 알면서도 시치미를 뗐다. 어쩜, 딱 어울리네. 까짓 대학은 무슨 대학, 수능이고 뭐고 다 집어치워, 이 웬수 덩어리야! 고양이탈을 둘러쓰고 신장개업한 중국 음식점 앞에서 그녀가 한창 꼬리를 흔들어대던 참이었다. 한손에 잡은 마이크로는 애교스런 비음도 쏟아내고 있었다. 방법이 없었다. 탈을 쓴 채로 어머니에게 질질 끌려갔다. '날개'에서 가까운 거리였으나 나름 탈을 믿었다. 오산이었다. 대학 갈 필요 없어! 이 엄말 봐. 안 가도 아주 잘 살고 있잖아? 어머니는 생각나는 모든 단어를 총동원해 비아냥거렸다. 분명 그날 이후부터였다. 어머니는 잠자리를 걷어차고 앉은 식탁에서 아작아작 안주거리를 씹어대곤 했다. 소주잔에 닿은, 증오와 애정으로 뒤범벅이던 어머니의 눈길. 그녀는 단지 돈을 벌어보고 싶었을 뿐이다. 어머니의 생일이 목전이었다. 그리고 학원이나 과외 공부에서 벗어나고 싶었다. 영 딴판인 출석과 결과물을 수용하는 차원에서 한 번쯤 노선을 틀어 새 활로를 모색해야 했다. 물론 재수가 새 활로가 될 줄은 몰랐다. 꽃샘추위가 기세등등한 대학교 입학식 날이었다. 어머니는 화사한 분홍색 투피스 차림에 모자까지 갖춰 쓰고 풍성한 안개꽃에 둘러싸인 붉은 장미 꽃다발을 내밀었다. 대학생 우리 딸, 축하한다. 달콤한 장미향기가 코를 간질였지만, 엉뚱한 말이 튀어나왔다. 옷 색깔이 그게 뭐야? 촌스러워! 어머니는 그녀의 말을 듣는 둥 마는 둥, 콧방울을 벌름이며 그녀의 팔짱을 꼈다. 순간, 장미꽃보다도 더 달콤한 어머니의 체취가 그녀의 가슴을 데웠다. 고마워, 엄마. 엄마, 사랑해요. 사랑합니다. 그녀의 입 속에서 소리 없이 혀가 굴렀다. 그뿐이었다. 한번 잠긴 고맙고 사랑한다는 말은 그 뒤로도 영영 입 밖으로 나올 줄을 몰랐다.

그녀는 목걸이를 끌어올려 뺨에 비비댄다. 목걸이에서 푸근하고 내밀한 냄새가 난다. 고마워, 딸. 죽을 때까지 목에 걸고 있을 거다. 약속! 어머니의 약속은 그대로 지켜졌다. 죽을 때까지……. 그만 목이 멘다. 엄마! 사랑해, 보고 싶어요. 그래도 그때 어머니는 무척 기뻐했다. 서로 공감하던 시간이었다. 그녀는 가만히 목걸이에서 손을 뗀다. 앞선 부인의 뒤에서 걸어가는 남편은 여전히 등만 보이고 있다. 슬며시 남편의 얼굴을 떠올린다. 각진 사각턱에 얇은 입술이 두드러진다, 왠지 호감이 가지 않는다. 아버지인 줄 알고 그리워했던 유 씨와 닮았다. 어머니는 유 씨와 잠시 잠깐이라도 행복했을까.

좁은 통로는 점점 천장까지 낮아져 절로 허리가 구부려진다. 지하 도시의 최대 깊이가 120미터라고 했다. 여긴 어느 정도나 될까. 들어갈수록 신비감이 더해진다. 화산재가 굳어서 된 응회암은 석질이 약하다지만, 이렇듯 동굴을 팠다는 게 경이롭다. 지하라는 악조건에 쇄석기도 없던 시대가 아닌가. 지하도시가 세계 9대 불가사의라는 게 새삼 수긍이 간다. 마침내 통로를 벗어난다. 지금까지 지나온 침실, 거실, 부엌, 창고 등의 주거지가 꿈속처럼 아스라하다. 가이드가 발을 멈추고 일행들을 가까이로 불러 모은다. 이건 가축에게 먹이를 주던 여물통이랍니다. 우둘투둘한 암벽 아래에 불거져 나온 바위를 반달 모양으로 파놓았다. 털이 보송보송한 양과 눈망울이 순한 말이 눈앞에 오락가락한다. 이 어두운 지하까지 끌려와 목숨을 보존했던 짐승들, 그 숙명의 역사가 애처롭기 짝이 없다. 한두 칸으로 시작된 방이 사람들 수가 늘면서 더 깊이 더 넓은 규모로 뻗쳐나간 겁니다. 그들 전부가 이슬람의 탄압을 피해 쫓겨 온 크리스트교인들이었죠. 가이드의 설명이 왠지 쏙쏙 머리에 들어온다. 그들의 처절한 수난사를 증명하는 동굴이다. 별 용도 없는 구석구석마저도 고통스런 사연들이 깃들어있는 것만 같다. 다시 걸음을 시작하는 가이드를 따라 그녀도 몸을 돌린다. 역시 동굴은 어둠의 원천이요, 어둠의 상징이다. 돌연 어둠이 그녀의 가슴에 면도날을 들이댄다. 그녀는 엉겁결에 발을 멈추고 한 발짝 뒤로 물러난다. 금세 너덧 사람이 그녀를 지나친다. 그녀는 살얼음판을 딛는 심정으로 걷기 시작하는데, 한 생각이 머리를 친다. 나는 왜 어둠 속을 헤매고 있는가. 그녀는 사방을 두리번거린다. 스스로가 동굴에 칩거하고 있는 기독교인이라는 걸 인지한다. 흐리터분하지만 동료들의 얼굴이 한사람씩 보인다. 얼굴빛이 하나같이 창백하다. 생기라곤 전혀 없다. 그런데 그 얼굴빛이 낯설지 않다. 뜻밖에 그녀는 그들 사이에서 자기 모습까지 본다. 잠시 잊고 있었다. 그 동안 어디론가 숨어들어가려고 얼마나 버둥거렸던가. 꼭꼭 몸을 감추려고 안간힘을 썼다. 어머니가 부재한 세상은 한 치 앞도 보이지 않은 캄캄한 암흑이었다. 한마디 예고도 없이 훌쩍 사라져버린 어머니가 너무 그리웠다. 보드라운 목덜미, 따스한 가슴팍, 달콤한 살내음……. 굳게 닫혔던 감각이 그제야 활짝 열린 것 같았다. 어머니가 곁에 있을 때는 그 존재감을 전혀 몰랐다. 어머니의 부재가 어머니의 존재를 일깨워준 것이다. 사실 그녀는 스틸녹스를 삼키던 순간에도 어머니를 떠올리지 않았다. 오직 자기만의 고통에 충실했을 뿐이다. 어머니도 어머니만의 고통에 갇혀 있었을까.

'날개'는 상가 1층, 가장 목이 좋다는 사거리 교차로에 위치해 있다. 가게 안은 형광불빛으로 종일 눈이 부셨다. 진열된 의류들의 색, 디자인, 장식품들은 유난히 빛에 민감했다. 무엇보다도 휘황찬란한 반사 빛의 효과는 형언하기 어려울 정도였다. 따스하고 화사한가 하면 자극적이고 도전적인 느낌을 유감없이 표출했다. 어쨌든 대부분이 20, 30대를 겨냥한 아이템 의류였다. 일단 몸매를 돋보이게 하고, 포인트를 주어 시선을 끌어야 했다. 스팽글이나 비즈와 적절히 혼용된 핫픽스가 아주 유효했다. 특히 화려함의 극치인 스와로브스키 크리스탈이 대인기였다. 컷팅각이 가장 많아서 빛의 혜택을 최대한 누렸다. 어머니는 능수능란하게 4밀리미터보다는 2밀리미터 크기를 선호했다. 크다고 좋은 게 아냐. 섬세하고 세밀한 아름다움을 취하는 게 멋의 고수지. 어머니는 '날개'의 주인이자 전속모델이었다. 모델이 한번 몸에 걸쳤다 하면 불티나게 팔렸다. 눈조리개를 양껏 오므린 그녀의 눈에 어머니가 입은 별핫픽스 흰 티가 멋스럽게 들어왔다. 그녀는 당장 똑같은 티를 꺼내 입고 거울 앞에서 포즈를 잡았다. 그런데 그녀의 가슴에 찍힌 별은 어머니의 가슴에 붙은 별과는 별개였다. 별빛이 둔중하게 가로로 퍼지는 바람에 참신한 별의 이미지를 찾을 수 없었다. 뭐야, 이 느낌은? 조명에 문제가 있어. 엄마는 꼭 티끌 한 점까지 내 보이는 게 조명인 줄 알지? 엄만 영 미감이 죽었다구!

어머니는 결코 미감이 소멸된 게 아니었다. 다부지게 감장해온 삶이 구겨지고 쪼그라들고 있었다. 죽어가고 있었다. 도대체 언제부터였던가. 소미는 나름대로 그 시기를 유추해보았다. 윤 씨가 난데없이 들이닥친 시간에 화살이 꽂혔다. 몸과 마음은 동고동락하는 동반자였다. 어머니의 몸이 44에서 66사이즈로 급격히 불어난 게 그즈음이었다. 윤 씨는 애당초 아빠나 남편 자격이 없는 인간이다. 아빠 노릇을 하고 싶다고 갑치며 통사정을 하던 말은 가식이었다. 세 번째 결혼을 피하려는 얄팍한 수작이었다. 참으로 아이러니했다. 독신을 주장하며 어머니와 그녀를 버린 인간이 두 번 결혼도 모자라 자식이 넷이었다. 첫 여자는 이혼이라는 형식을 밟고, 두 번째 여자는 교통사고로 유명을 달리했다. 윤 씨는 차림새도 가년스러웠지만, 혼자 자식 넷을 감당하기 버거운 사람이었다. 아이를 가졌다고 했을 때, 그저 앞이 캄캄했다구. 마치 동굴, 아니 무덤 속에 들어앉은 기분이었지. 윤 씨는 도망가던 한때를 변명하느라 딸꾹질을 해대며 무릎까지 꿇었다. 그녀는 조마조마했다. 빤한 불구덩이에 어머니가 빠지면 어떡하나. 기우였다. 어머니는 예나 그때나 돌아서는 데에 일가견이 있었다.

찌질한 놈들! 어머니는 거침없이 유 씨까지 싸잡아 한 마디로 일축했다. 유 씨도 윤 씨 못지않았다. 백수인 유 씨는 매의 눈으로 돈을 노리고 접근한 인간이었다. 사실 총각이 아이 딸린 연상녀와 결혼한 데는 극과 극인 두 가지 이유 중의 하나다. 순수함 아니면 사악함. 순수한 사랑이었을까? 그러기엔 결별, 파국에 이른 정황이 정말 순수하지가 않다. 사랑에 속지 마. 사랑의 유효기간은 단 2년임을 명심해. 태평양 건너 저명한 대학 교수의 실험 결과야. 결혼한 P언니가 조잘거렸다. 그래, 사랑이 식어 이혼 서류가 필요했을 수도 있다. 하지만 어머니의 통장을 몽땅 챙겨들고 나간 건 정말 순수하지 못한 행동이다. 당시 그녀는 열한 살이었다. 어머니는 가게 문까지 닫고 집요하게 추적해 끝내 유 씨의 목덜미를 낚아챘다. 유 씨는 극히 평범한 선남이었다. 앳된 여자애와 살림을 차린 방 안에서 알몸으로 햇빛 바라기를 하고 있었다. 혹 그날, 어머니는 아무도 몰래 어둡고 음습한 굴속으로 향하고 있었던 건 아닐까. 아니다. 진짜 어머니의 아픔, 그 고통의 시초는 더 이전이다. 그녀를 잉태한 시점. 어머니는 보이지 않는, 잡히지 않는 그 어둠을 감추려고 애써 빛을 끼고 살았던가. 불빛에 가려진 어둠. 불빛은 어둠을 몰아내는 물리적인 힘만이 아니라 마음도 위장할 수 있는 최고의 무기였는지도 모른다.

윤 씨는 한동안 걸핏하면 가게에 나타났다. 징글징글하단께. 그냥 콱! 어머니는 주먹을 쥔 채 부르르 떨곤 했다. 급기야 윤 씨는 소미네 학교까지 찾아왔다. 칙칙한 점퍼, 붉은 눈시울, 바람에 뒤엉키는 반백의 머리칼이 그녀의 가슴을 후볐다. 그녀는 마음의 갈피를 못 잡고 오락가락했다. 자칫 이성을 잃고 어머니를 배반하는 반역자가 될 뻔했다. '아빠' 하고 코맹맹이 소리가 나오려는 찰나에 그녀는 입술을 깨물었다. 우린 아무 관계도 아니에요. 다시는 보고 싶지 않으니, 오지 마세요. 감성을 한 방에 날려버린 싸늘한 이성, 그 힘이 그녀의 버팀목이었다. 그날의 삽화는 오래도록 고통과 희열의 저장고에서 그녀를 건드렸다. 그녀는 이따금 대오에서 이탈한 어리보기처럼 헤매었다. 엄마 때문이야, 내가 아빠를 선택해서 태어난 건 아니잖아? 그런 어수룩한 사람을……. 뭐라구? 지금…… 너, 그걸 말이라고…… 당장 취소해! 못해! 엄마가 정말 무서워. 그 사람이 나타나지 않았다면 영영 난 유소미로 살겠지? 어머니는 새파랗게 질린 얼굴로 눈에 불을 켰다. 그녀는 먼 훗날에야 알았다. 어머니도 가슴속 깊이 뚫린 바람구멍을 막지 못해 늘 벌벌 떨고 있었다는 것을.

이 바위는 뭔가 색다르지 않습니까? 가이드의 손끝은 가운데가 뚫린 동글납작한 바위에 닿아 있다. 마치 대형 맷돌 한 짝을 세워놓은 것 같다. 최첨단 방어벽인 원형 돌문입니다. 발각되었을 때, 통로를 차단시킬 수 있는 아주 중요하고 비밀스러운 문이죠. 소미는 순간적으로 몸이 오싹거리며 한기가 돈다. 섬뜩하다. 만약 반대편에서 이런 문을 설치한다면 어찌

되는가. 완벽하게 갇힐 일만 남지 않았는가. 다시는 빛을 볼 수 없는 암흑의 세계, 침묵의 세계. 지하도시는 일시에 흔적도 없이 묻히고 말 것이다. 그녀는 갑자기 숨이 차오른다. 산소가 고갈된 동굴 안에서는 너나없이 할딱거린다고 했다. 입안이 바짝바짝 타면서 혀가 말린다. 그녀는 자기도 모르게 목걸이를 양손으로 감싼다. 심신이 축 늘어져 물 밑으로 가라앉을 때마다 토파즈가 반짝이는 어머니의 목걸이를 만지작거리면 절로 힘이 솟곤 했다. 정신 차리란 말다, 이 가시내야. 정신 차리란 말다, 이 가시내야. 어머니의 다급한 음성이 메아리가 되어 울린다. 메아리는 또 다시 메아리를 친다. 눈을 뜨려고 안간힘을 쓰면 쓸수록 눈꺼풀은 더 달라붙는다. 터키 여행을 오기 전에도 지금과 같은 위기상황에 떨어진 적이 있다.

소미는 응급침대 위에 반듯이 누워 있었다. 응급실에서 입원실로 이동하는데, 내려앉은 눈꺼풀은 미동도 하지 않았다. 한순간, 아스라이 눈처럼 하얀 순백의 하늘이 보였다. 눈이 부셨다. 더욱 더 눈이 감겼다. 어머니의 애타는 절규가 아니더라도 그녀는 눈을 뜨고 싶은 갈증에 목이 탔다. 어서 빨리 그 낯선 환경에서 벗어나기를 간절히 원했다. 천장에 부착된 최강도의 형광빛은 동공마저 마비시킬 기세였다. 누구 없어요? 여기가 어디에요? 아무리 목을 쥐어짜도 소리가 터지지 않았다. 가물가물하던 의식이 뚝 끊겼다. 그녀는 단지 자기 의지를 시험에 보고 싶었는지도 몰랐다. 자정이 지나고 또 한 시간이 훌쩍 지나도 그녀의 휴대폰은 잠잠했다. 상황은 그녀가 의도한, 좋지 않은 방향으로 완전히 기울어졌다. 그녀를 유도하는 방편은 지상에서 지하로 추락하는 낭떠러지 길이었다. 그녀는 그 동안 모은 스틸녹스를 손바닥에 전부 쏟았다. 잠을 자려고만 하면 눈이 말똥거려요. 일주일 뒤에 오세요. 첫날은 일곱 알을 처방받았다. 일주일 뒤에는 열네 알, 이주일 뒤에는 스물한 알을 처방받았다. 두 군데 병원을 들락거렸다. 수면제는 생각보다 빨리 그 양이 불어났다. 든든했다. 언제라도 거리낌 없이 영원한 침묵의 세계로 잠입할 수 있었다. 그녀의 남성관에 문제가 있는 건 아니었다. 어머니의 남성관과는 하늘과 땅 차이였다. K는 그녀가 앞으로의 인생을 걸 만한 충분히 끌밋한 사내였다. 무책임하고 사기나 치는 헐렁한 인간들하고는 차원이 달랐다. 친구의 사촌인 K는 시쳇말로 훈남 외모에 완벽한 조건을 갖춘 매력적인 남자였다.

나뭇잎이 수줍게 물들어가는 가을, 마침 그날은 시장 상가 전체가 문을 닫는 월요일이었다. 몇 달 전부터 거의 소미가 도맡아 하고 있는 '날개'도 문을 닫았다. 그녀의 친구들은 백화점 지하 분식코너에 모였다. 생일 축하해! 나도, 나도. 시끌벅적한 틈을 비집고 친구들과 하이파이브를 날렸다. 땡큐, 땡큐. 고마워, 고마워. 그녀는 경쾌하게 종알거렸다. 모두들 혀를 날름거리며 매콤한 수제어묵을 야금야금 씹었다. 생일 파티의 에피타이저였다. 으, 베트남 고추! S는 코를 훌쩍이다 못해 눈물까지 찔끔거렸다. 그녀는 혀를 길게 내밀다 못해 냉수를 두 잔이나 들이켜고 일어섰다. 힐튼 호텔 앞을 지나 남산 산책길에 접어들었다. 분별없이 곡선을 그려가는 단풍의 정취가 투박하면서도 정겨웠다. 남산을 한 바퀴 돌고서 커피숍으로 직행했다. 테이블의 조명을 끄고 케이크에 꽂힌 가느다란 색색의 초에 불을 붙였다. 언뜻 윤 씨가 촛불 그림자 안에서 일렁거렸다. 모녀의 꽁꽁 얼어붙은 문을 열지 못한 윤 씨는 결국 종적을 감추었다. 벌써 까마득한 세월 저편의 과거사였다. 사랑하는 유소미, 생일 축하합니다. 촛불을 끄고 케이크를 자르는데, 다따가 바리톤 합창이 건너왔다. 해피벌스데이 투 유. 노래의 진원지는 바로 옆, 칸막이 너머였다. K도 그녀처럼 그날의 주인공이었다. 사귀자, 사랑해, 악수해, 뽀뽀해, 이런 인연은 밀리언 달러짜리라며 여기저기서 호들갑을 떨었다. K는 홍대 거리 쪽의 대학을 졸업한 대기업 사원이었다. 그녀는 1년 가까이 K와 붙어 다니며 사랑을 키워갔다. K는 걱실거리는 타입으로 언제 어디서나 그녀를 편하게 이끌었다. 어머니는 K의 인사를 받고 몹시 흡족해 했다. 참 괨성이 있어. 반듯한 건 물론이구. 그녀도 K의 집에 초대를 받았다. 강남의 대형 아파트 거실에는 꽤 큼직한 디귿자형 소파가 놓여 있었다. K의 어머니는 흰색 쉬폰 블라우스에 진주 목걸이를 늘어뜨리고 그녀를 내려다보았다. 전공이 뭐죠? 전공관 완전 무관한 일을 하네요. 아버지께선 어떤 일에 종사하시죠? 존칭어 질문이 불편했다. 그녀를 마뜩찮아 하는 게 역력히 보였다. 루악 커피에 망고 몇 조각으로 입 안을 헹구고 현관을 나섰다. 나에 관한 사전정보를 왜 알려 드리지 않았어? 그게 뭐가 중요해? K는 약간 상기된 얼굴로 불퉁스럽게 내뱉었다. 그녀는 이상하게 K가 낯설게 느껴졌다. 어머니는 그녀가 K네 집에 다녀온 걸 알면서도 별말이 없었다. 오히려 그녀의 눈치를 슬슬 보았다. 그녀도 함구한 채 어머니의 눈치를 살피기만 했다. 며칠 뒤에 K를 만났다. K도 어머니처럼 자꾸 그녀의 눈치를 보면서 말을 아꼈다. 일주일이 지났다. 그녀의 전화에 K는 마지못해 회사 근처 커피숍으로 나왔다. 어머니가 아직 답을 주지 않아서…… 좀 기다리자. 여유를 갖고……. 얼버무리는 K의 목소리에서 어떤 확신도 느낄 수 없었다. 그날 이후로 K의 전화가 뚝 끊겼다. K는 그녀의 33년 인생에서 첫 페이지를 장식한 남자였다. K를 만나기 전, 그녀는 남자가 다가오면 온몸이 먼저 뻣뻣하게 고드러졌다. 스킨십을 상상만 해도 몸이 아스스했다. K는 달랐다. 멀리서 보이기만 해도 얼굴이 화끈거렸다. 첫 키스를 나눌 때는 어찌나 심장이 곤두박질치는지 제정신이 아니었다. 이성에 관여하는 그녀의 뇌세포는 K의 존재로 급속도로 팽창하기 시작했다. 그녀는 계산기를 두드렸다. 사랑의 유효 기간이 2년이라면, 아직 1년이라는 긴 시간이 남아 있었다. 그녀는 점점 이성을 잃어갔다. 한때 스토커를 당한 끔찍한 기억을 망각한 채, K의

스토커로 군림했다. 잘못된 만남이었어. 네 얼굴 꿈에 볼까 겁난다. K는 유행가 가사를 인용해 모욕적인 말까지 서슴지 않았다. 그녀의 사고는 단순하고 간단했다. K의 자리가 텅 빈 삶은 죽음과 같았다. 죽음이 곧 최선의 삶이었다. 매끄러운 죽음의 길을 향해 재바르고 힘차게 질주했다. 격렬하게 창문을 때리던 빗줄기가 소리 없이 긋던 한밤중이었다. K는 끝내 돌아오지 않았다. 그녀는 처음으로 여자로서의 어머니가 보이기 시작했다. 닳고 닳아 콘텍트 렌즈처럼 얇아진 어머니의 가슴 밑바닥이 보였다. 아니 동굴처럼 어둡고 암담한 가슴속을 보았다. 눈병이 날 정도로 눈이 시렸다. 하지만 모르쇠로 일관했다. 위로의 손을 내밀기보다는 스스로를 은폐시키는 데에 열중했다. 왜 그랬을까. 어머니 앞에서는 왜 한껏 가슴을 웅크리고 나부대는 어린애처럼 굴었을까.

소미는 애써 가슴을 젖히고 갈비뼈를 확장시켜본다. 입을 양껏 벌리고 심호흡을 한다. 지하도시에 들어간 지, 꼭 한 시간 이십 분이 지났습니다. 가이드가 손목시계에서 눈을 떼며 일행들을 둘러본다. 폐에 묻어 있던 이산화탄소가 쑥쑥 배출되는 느낌이다. 푸르른 하늘 아래 떠도는 공기, 햇살, 바람……. 가슴이 뭉클하다. 엄마! 엄마도 심호흡을 했어? 가슴이 시원해? 지하의 체험이 새로운 지상의 체험으로 연결되었어요, 엄마. 그녀는 용기를 내어 햇빛에 정면으로 맞선다. 눈을 홉뜬다. 하지만 이내 눈살을 찌푸린다. 도저히 눈을 뜰 수 없다. 옆 사람은 눈을 감은 채 해를 향해 두 팔을 벌린다. 내일이면 3월인데도 음지에는 아직 흰 눈이 쌓여 있다. 해가 반가운 것은 쌀쌀한 날씨 탓이 아니다. 해는 따스함 이전에 밝음의 근원이기 때문이다.

햇빛을 적게 받으면 수면 호르몬인 멜라토닌이 뇌에 생성되지 않습니다. 전자파나 불빛을 쬐면 더욱 더 역효과죠. 어머니의 극심한 불면증은 단순한 갱년기 증세라는 진단이었다. 아티반은 별 효험이 없고, 스필녹스 한 알이 밤마다 유령처럼 떠도는 뇌세포를 편안히 달래주었다. 소미는 갱년기가 지나면 자연치유가 될 거라고 생각했다. 그런데 실은 갱년기와는 다른 차원에 어머니가 발이 빠진 거였다. 밤과 낮이 뒤바뀌어 인식되는 치매 증세였다. 아무래도 이상해. 점심에 분명 같이 돌솥밥을 먹었거든. 근데 또 몇 번이나 밥 먹자고 졸라대지 뭐야. 언젠가 고객들과 실랑이도 했어. 받은 옷값을 안 받았다 우기질 않나, 거스름돈도 줬다며 주지도 않고. 엄마가 워낙 치밀한 사람이잖아? 이런 말 하고 나니 괜히 우울해지네. 건너편 가게 여주인이 '날개'의 문을 여는 그녀 곁을 맴돌며 바르집었다. 어머니와 새삼 곰삭음이 느껴지는 말투였다. 그녀도 짚이는 대목이 있었다. 새벽 두 시쯤이었다. K와의 삐걱거림을 S에게 실토하면서 카톡이 길어졌다. 화장실에 가다가 그만 주춤거렸다. 안방 문틈으로 새어나오는 불빛을 따라 도둑 걸음을 했다. 어머니가 거울 앞에서 낑낑거렸다. 66사이즈의 몸에 44사이즈를 끼어 넣으려는 절박한 몸부림. 몸에 착 달라붙는 카키색 마 원피스가 벨트를 덜렁이며 엉덩이에 걸쳐졌다. 한밤의 나 홀로 패션쇼를 위한 전초전이었다. 한밤중에 웬 주책이야? 으응? 그, 그래. 아직 안 잤어? 잠이 안 와서……. 어머니는 황망한 표정으로 원피스를 끌어내렸다.

어머니는 치매 검사를 마치고 그녀의 손을 움켜잡았다. 손이 얼음장처럼 차가웠다. 그녀가 완강하게 떠밀어, 내친 김에 정밀 검사도 받았다. 어머니의 신체 나이는 실제 나이를 월등하게 웃돌았다. 심한 당뇨, 고지혈증, 고혈압에 면역 결핍과 녹내장까지 침투한 상태였다. 엄만 식생활이 문제야. 제멋대로잖아? 아무 때나 먹고, 또 먹고 싶은 것만 먹고. 따지듯 언성을 높이다말고 픽, 웃음이 나왔다. 평소에 많이 들어온, 어머니가 그녀에게 읊조리던 질책의 소리였다.

어머니는 그녀를 '날개'로 불러들였다. 난, 이제 날 위해 살거야. 아무런 생각 없이 그저 운동이나 슬슬 하면서 쉬고 싶다. 자, 이제 '날개' 키는 니 손 안에 있어. 마음껏 잘 꾸려봐라. 그녀의 뇌리에 박힌 말과는 이율배반적인 내용이었다. 대학 졸업을 앞둔 그녀에게 어머니가 구구절절 호소했다. 넌, 꼭 반듯한 직장에 다녀야 한다는 걸 잊지 마라. 연봉 따위는 신경 쓰지 말고, 그저 다니기만 하면 돼. 돈은 엄마가 다 벌어놨으니까, 알았지? 물론 그녀는 그 동안 전심전력으로 노력했다. 어머니의 소망이기 전에 그녀의 꿈이기도 했다. 그러나 그녀를 필요로 하는 곳은 어디에도 없었다. 아르바이트를 전전하면서도 취직전선에 튼 똬리를 풀지 못했다. 환상일지라도 여전히 진행형이었다. 결국 버젓한 출근 한 번 못해 보고 '날개'에 입성한 셈이었다. 그런데 어머니의 휴식 기간은 대낮의 풋잠처럼 짧았다. 아무도 찾아오지 않은 텅 빈 아파트에서 어머니는 무료했던가. 좌충우돌하면서도 '날개'를 계속 지켰다면 어땠을까. 어머니는 '날개'의 주인공이었다. 린넨 스커트를 입고 무희처럼 빙그르르 도는 어머니는 어떤 빛보다 더 빛났다. 바닥난 어머니의 먹물 가슴은 빛으로 위장하지 않아도 되었는데……. 어둠은 어둠만이 내포하고 있는 의미가 있었는데……. 그랬다. 어머니는 일부러 빛을 추구하지 않아도 되었다. 어머니 스스로가 빛을 발하는 발광체였다. 어머니도 몰랐고 그녀도 인식하지 못했다. 단 한 번의 여행에서라도 치유의 가능성을 찾고 싶었던 그녀의 바람도 다 헛된 바람이었다. 아니다. 다 틀렸다. 그녀의 응급실행이 무시무시한 맹독이었다. 어머니는 해가 이글이글 타오르는 대낮에 7층 베란다에서 까치발을 했다. 뒤도 돌아보지 않고 몸을 솟구쳐 햇빛 속으로 날아갔다. 어머니의 날개는 펼쳐지지 않고, 심장의 피만 싸늘하게 굳어버렸다. 행여 그 마지막 순간에 어머니는 열기구를 타고 떠다니는 꿈이라도 꾸었을까. 그녀는 허우룩한 심정으로 허공에 걸린 시선을 떼지 못한다. 허공의 어디쯤에 하늘이 맞닿아 있는가. 혹여 그곳에 어머니가 숨어 있는가. 가슴이 먹먹해온다. 한국의 가을하늘처럼 카파도키아의 하늘은 한없이 청명하다.

소미는 모닝콜 소리에 후다닥 몸을 일으킨다. 새벽 네 시다. 이번 여행 기간 중에 오늘의 기상 시간이 가장 이르다. 룸메이트 강 언니는 어깨를 한 번 들썩이더니 그대로 돌아눕는다. 남편과 다투고 가출한 김에 터키까지 왔다고 했다. 우린 당근 딩크족이지. 결혼 지침이 뭐였게? 같이 돈 벌어 일 년에 한 번은 세계 여행 떠나기. 물론 지침에 아이는 없어. 헌데 갑자기 아이를 낳겠다고 반기를 들지 뭐야? 내 나이 마흔이야, 마흔! 아직도 강 언니는 터키에 와 있다고 남편에게 실토하지 않았을까. 그녀는 사실 터키 여행을 거짓말처럼 잊고 있었다. 어머니의 죽음은 A급 스콜, 아니 허리케인이나 화산 폭발에 비할 위력이 아니었다. 그녀의 심신은 형체 없이 바스러졌다. 어떻게 견뎌야 하는지 길이 보이지 않았다. 존재하고 있는 자신이 끔찍했다. 출발일 삼 주 전에 여행사에서 전화가 왔다. 여권 좀 보내주세요. 여러 번 전화했는데……. 그녀는 당황했다. 그녀의 여권과 어머니의 여권은 서랍 안에 한 몸처럼 붙어 있었다. 두 번째 전화는 보름 전에 왔다. 그녀는 비로소 현실감을 찾았다. 지푸라기라도 잡고 싶었다. 무조건 가야 했다. 여행은 떠났다가 돌아오는 일이다. 더군다나 터키 여행은 얼마나 특별한 여행인가. 어머니와 함께 떠나는 처음이자 마지막 여행이 아닌가. 그녀는 강 언니를 물끄러미 바라보다가 후다닥 침대에서 내려선다.

정각 다섯 시다. 소미는 호텔 로비를 나와 대기한 버스에 오른다. 새벽 칼바람에 얼굴이 에이듯 쓰라리다. 숄더백을 열고 스카프, 장갑, 선글라스 등을 확인한다. 열기구는 천오백 피트, 그러니까 사백오십 미터까지 올라간다고 했다. 고공의 대기는 북극처럼 도도하게 써늘할까. 상상만으로도 소름이 돋는다. 버스는 어둠을 뚫고 헤드라이트 불빛이 보여주는 도로를 달린다.

에이전시 광고판들이 형형색색으로 즐비하다. 소미 일행들이 타려는 열기구의 에이전시는 애트 모스퍼 벌룬스다. 땅에 쫙 펴진 대형풍선 크기가 어마어마하다. 한 열기구에 열 명의 스텝들이 달라붙어 능숙하게 작업을 한다. 선풍기 바람의 힘으로 풍선이 점점 모양을 갖추어간다. 바구니는 네 칸으로 나누어져 있는데, 한 칸에 여섯 명씩 오를 수 있다. 스텝들이 일일이 한 사람씩 균형을 잡아가며 태운다. 열기구의 엔진인 버너에 불이 붙는다. 귀가 먹먹할 정도로 화력이 거세다. 드디어 그녀를 태운 열기구가 지상을 박차고 공중으로 부상한다.

해가 떠오른다. 소미는 장갑 낀 손으로 숄더백 안에서 선글라스를 꺼낸다. 삽시간에 햇살이 부채 살처럼 퍼져 나온다. 열기구는 일출과 때를 같이 한다는 말이 옳다. 지상에서 올려다보는 해돋이 정경과는 차원이 다르다. 로켓을 타고 수만 킬로미터를 날아올라 해와 근접한 느낌이다. 부윰한 새벽빛이 시나브로 스러지면서 시야가 무한대로 펼쳐진다. 온통 잿빛 바위의 세상이다. 바위들은 하나같이 대형 송이버섯 모양이다. 여기가 과연 지구인가, 지구를 벗어난 또 다른 별나라인가. 카파도키아가 곧 지구의 역사라고 했던가. 삼백만 년 전에 일어난 수많은 화산 폭발과 지진으로 인한 지층. 부드러운 석회암 위에 가루 같은 응회암이 형성되고, 그 위에 단단한 현무암이 자리했다. 풍화 침식 작용으로 먼저 부드러운 아래층들이 깎이면서 기기묘묘한 버섯 모양을 창출해 낸 것이다. 문득 그녀는 된숨을 몰아쉬며 눈을 깜박거린다. 버섯 요리에 집착하던 때가 있었다. 주방에 드나들 짬이 없는 어머니는 당연히 요리에 젬병이었다. 급식이 없던 중학교 때까지 그녀는 매일 도시락을 사들고 다녔다. 단골 가게는 한솥도시락이었다. 소풍, 야외 수업, 운동회가 있던 날은 김가네, 김밥나라 등을 전전했다. 친구들의 앙증맞은 도시락이 얼마나 부러웠게. 걔들 도시락에는 버섯이 있더라? 난생 처음 봤다구. 양송이, 표고, 느타리, 팽이, 싸리, 석이……. 엄마! 내가 쿠킹클래스에 다니는 거 몰랐지? 나름대로 당뇨 식단을 짰다구. 아주 담백하면서도 맛깔스러운 소량의 칼로리 밥상. 이제 내가 차린 밥상은 어떡할 거야? 난, 언제까지나 엄마 밥상을 차릴 줄만 알았단 말이야. 어쭈? 넌 아직도 도시락 타령이냐? 내가 밤새 준비한 식탁엔 통 눈도 안 줬으면서. 사골 국, 유부초밥, 샌드위치, 샐러드……. 엄마, 엄마! 그녀는 반가움에 어찌할 줄 모른다. 어디 있는 거야? 고개를 꺾고 내려다보던 눈높이가 종횡무진 바뀐다. 가로로 향하는가 하면 어느새 위로 올라간다. 그런데 느닷없이 열기구가 흔들리기 시작한다. 자칫 깊은 계곡에 낙하라도 할 듯, 아니 기암괴석에 맞부딪칠 기세다. 아슬아슬하고 위태위태하다. 바구니가 심하게 기우뚱거리며 요동을 친다. 소미야아, 소미야아. 엄마! 엄마! 햇볕이 따가운 놀이동산에서 다섯 살 꼬마는 '나르는 청룡기차'를 탔다. 청룡기차는 청룡열차의 축소판이었다. 기차는 몸을 비비꼬며 느릿느릿 올라갔다. 지상에서 멀어질수록 더욱 더 신났다. 어머니의 품에서 공중으로 부상하는 기분은 최고였다. 유 씨도 어머니도 꼬마처럼 환호성을 질렀다. 그러나 즐거움은 찰나에 그쳤다. 고개를 숙인 청룡이 다짜고짜 속력을 내기 시작했다. 나선형의 내리막 철로를 숨 한 번 쉬지 않고 초스피드로 질주했다. 온몸이 갈기갈기 찢어지는 것만 같았다. 심장이 터지려는 공포에 부들부들 떨었다. 다시는 엄마를 못 보면 어떡하지? 사색이 되어 청룡기차에서 내렸다. 엄마! 다시는 '나르는'은 타지 말자, 응? 그만 눈물이 어머니의 손등에 뚝 떨어졌다. 그래, 그래. 어머니는 꼬마를 꼭 껴안고 볼을 마구 비비댔다. 어머니의 심장과 꼬마의 심장이 맞닿았다. 영원히 이렇게 있을 수만 있다면. 꼬마는 소원했다. 지금 그녀 곁에는 어머니가 없다. 눈 아래 카파도키아만 요동칠 뿐이다. 그녀는 힘껏 고개를 들어올린다. 열기구의 오색찬란한 풍선들이 하늘 가득히 둥둥 떠 있다. 뜻밖에 풍선 위에서 어머니가 환하게 웃고 있다. 두 팔을 활짝 펴고 고개를 젖히고, 더없이 느꺼운 표정이다. 엄마, 나도 거기 올라갈래. 넌, 안 돼! 어머니가 올라탄 풍선이 줄이라도 끊긴 듯 가뭇없이 사라진다. 그녀는 슬픔이 차올라 눈이 충혈된다. 텅 빈 하늘은 한없이 막막하다. 엄마 없이 어떻게 살아? 가지 마. 엄마! 엄마! 괜찮으세요? 누군가가 그녀를 흔든다. 턱수염이 인상적인 파일럿이 빙긋이 웃는다. 죄송합니다. 장난이 좀 심했나요? 정확한 한국어 발음이 허공을 가른다. 춥다. 그녀는 버너 불 가까이로 손을 뻗친다. 흘러내리는 스카프를 잡아 목을 단단히 감싼다. 열기구는 언제 그랬냐는 듯 거북이처럼 기어간다. 사방 곳곳에 열기구가 떠돈다. 더없이 화려한 색깔과 무늬로 창공을 수놓는다. 삼원색 색동무늬, 흰 바탕에 바다색 물결무늬, 노랑 빨강 바둑판무늬 등등. 보라색 바탕에 주홍 띠를 두른 열기구가 바짝 옆을 스쳐간다.

터키 행진곡이 가볍고 빠른 템포로 울려 퍼진다. 전혀 예상치 못한 이벤트다. 무사히 하늘을 날아 착륙했다는 축하 인사다. 브라보! 모두들 만족스러운 미소를 띠며 잔을 부딪친다. 소미도 샴페인 잔을 들어올린다. 유리잔 속에 담긴 샴페인은 티 한 점 없이 투명하다. 목에 걸린 목걸이를 끌어올려 잔에 부딪친다. 엄마, 브라보! 한순간 눈앞이 흐려진다. 샴페인이 흐려진다. 그녀는 배꼽을 등 쪽으로 끌어당기며 반듯하게 자세를 바로 잡는다.

엄마! 터키풍으로, 다시 한 번 안녕!

행자들은 한창 정진 삼매경에 빠져 있다. 날이 밝으면 제각각 구도의 길을 떠날

환속

사람들이다. 처마 끝의 풍경이 미리 배웅이라도 나선 듯 팔랑거린다

환속

그믐밤이다. 하늘은 색을 잃고 어둠에 파묻혔으나, 경내는 대낮처럼 밝다. 요사채의 방문이 소리 없이 열린다. 황색 행자복 차림을 한 여행자(女行者)들이 가만가만 나온다. 그들은 자취 없이 배롱나무 그림자를 밟으며 대웅전으로 향한다. 발을 뗄 때마다 흰 고무신이 불빛에 반들거린다. 마침내 회향식이 내일로 다가왔다. 이제 곧 행자교육의 마지막 관문인 철야정진이 시작될 것이다. 대웅전 실내는 열기로 후끈거린다. 서둘러 들어온 남행자(男行者)들이 벌써부터 숙연하게 경을 읊조리고 있다.

나는 변 기자와 함께 일찍이 대웅전 중앙문 밖 비스듬히 자리를 잡았다. 4월인데도 산사의 밤공기는 아직 쌀쌀하다. 점퍼 깃을 세우며 변 기자를 흘낏거린다. 큼지막한 비디오사진기에 가려 얼굴이 보이지 않지만, 보나마나 빤하다. 촉기 넘치는 눈에 파르스름한 입술을 앙다물고 있을 터다.

3주일 전, 우리는 편집부장의 특명을 받아 이곳 안심사에 입성했다. 여성잡지의 속사정은 다 거기서 거기다. 광고수입으로 좌지우지되는 판이라 늘 판매 부수가 관건이다. 그러다 보니 차별화된 아이템이 무엇보다도 절실하다. 때맞춰 편집부장이 고급 정보를 대어했다. 모 방송국 다큐멘터리 제작팀이 안심사 행자교육원 출입을 허가받았다는 거였다. 행자교육원은 오래 전부터 성역이나 다름없다고 정평이 났다. 절호의 기회였다. 더군다나 4월 초파일을 코앞에 둔 시점이었다. 5월호 특집 난에 최적격인 취재거리였다. 편집부장의 인맥과 발 빠른 주선으로 우리는 방송국 팀원으로 가장했다. 지금도 이곳 스님들은 우리를 방송국 팀원으로 알고 있다.

남행자들의 독경소리가 뚝 끊긴다. 그 자리에 시간이 멈춘 듯한 적막감이 흐른다. 1분이나 지났는가. 60분처럼 길게 느껴지는데, 돌연 목탁소리가 적막감을 깨뜨린다. 일정한 톤의 목탁소리는 깊고 깊은 영혼의 소리처럼 맑게 울린다. 목탁소리에 맞추어 석가모니불을 염하는 목청이 터진다. 굵직한 남행자들의 성대와 낭랑한 여행자들의 목청이 코러스를 이룬다. 석, 가, 모, 니, 불, 나도 모르게 입술을 달싹거린다. 문득 편집부장의 따가운 눈총이 눈앞에 아른거린다. 최 기자! 곧이곧대로 교육 과정만 좇을 건 아니지? 숨어 있는, 보이지 않는 뭔가를 확 낚아채는 거야. 어필할 수 있는 그 무엇, 플러스알

파! 사무실을 나서는 내 뒤통수에 여지없이 날아든 한 방이었다. 항상 내 나름의 밑그림이 있다는 걸 편집부장이 알 리 없다. 대개의 여성지 독자들은 무료함에 빠져 있다. 무료함을 이겨낼 만한 가벼운 수다면 족하다. 즉 수다를 떨 수 있는 얘깃거리면 된다. 벼린 칼날처럼 강렬하고 자극적인 것은 금물이다. 꾸민 얘기라는 오해를 사기 십상이다. 바늘에 손가락 끝이 살짝 찔린 정도가 좋다. 물론 진부하지 않고 신선해야 함이 생명이다. 사실 행자교육원 취재라는 말을 듣는 순간, 어린애처럼 팔짝 뛰며 '야호'라고 외칠 뻔했다. 이태 전, 운문사 비구니 대학을 취재할 때였다. 강사 스님 한 분이 얼핏 행자교육원을 들먹거렸다. 호기심이 일면서 이상하게 형의 모습이 선연히 떠올랐다. 지금도 나는 괜히 막연한 생각에 빠져 있다. 형이 어딘가에 안주하고 있다면 그곳은 절집일 것이라는 생각이다.

나는 안심사에 들어온 첫날부터 좀 들떠 있었다. 의욕에 넘쳐 고도의 긴장감과 집중력이 뒤따랐다. 컨디션이 아주 그만이었다. 그러나 쉬이 내 촉수에 걸려드는 행자가 없었다. 다행히 변 기자가 찍은 영상물이 유효했다. 여행자가 한 사람 걸려들었다. 쾌재를 부르며 내가 구상한 판 속에 그 여행자를 앉혔다. 그런데 시간이 갈수록 나는 초조해지기 시작했다. 내 예상이 완전히 빗나갔던 것이다. 회향식이 내일인데도 여태 그 수확물에 대한 결과가 아무것도 없다. 상대방이 어떤 장막이라도 쳤는지, 아니면 내가 무뎌도 한참 무딘 것인지 모를 일이다. 늦은 조급증이 일지만, 묘안도 없고 묘책도 없다. 어쨌든 내일까지 가보는 도리밖에 없다.

행자들의 뒷모습이 오늘따라 너무 엇비슷하다. 민머리, 헐렁한 행자복, 그만그만한 키와 몸피. 판에 박은 듯 숫제 붕어빵이다. 까치발을 하고서 이리저리 눈알을 굴려본다. 그 여행자의 뒤태마저 도저히 눈에 잡히지 않는다. 긴장을 늦춘 내 불찰이다. 대웅전에 들어서기 전에 미리 따라 붙어야 했다. 타이밍을 놓쳤다. 목탁소리가 시나브로 빨라지기 시작한다. 불전의 촛불은 여전히 일렁거린다. 행자들이 무릎을 꿇고 엎드리며 큰절에 들어간다. 그들의 동작에 팽팽한 속도감이 붙는다. 새벽 예불시간 전에 마치려면 이 정도의 빠르기가 필수적일 터다. 바스락바스락, 마룻바닥에 스치는 행자복의 옷자락소리가 귀를 간질인다.

일사불란하던 행자들의 움직임이 조금씩 흐트러져 간다. 서고, 앉고, 엎드리는 일련의 동작들이 들쑥날쑥 제멋대로다. 리드미컬하던 민첩성이 스러졌다. 각자의 깜냥대로 움직이는 시간대에 이른 거다. 한 숨도 돌리지 않고 3,000배를 이어가는 일이 결코 만만한 게 아니다. 선배, 이 타임에서도 낙오자가 나올까요? 그야말로 도로 아미타불인데……. 변 기자가 사진기를 발밑에 내려놓으며 주절거린다. 그건 아무도 모르지. 참, 지금까지 열세 명이 탈락했던가? 그건 그렇고, 짝사랑 애인은 여전히 렌즈 안에 고이 모시고 있지? 애인은 무슨, 흰소리 좀 하지 마요! 변 기자는 툭 내쏘며 미간을 찌푸리고 삿대질까지 한다. 변 기자의 짝사랑 애인이 다름 아닌 바로 그 여행자다.

나는 변 기자가 다큐멘터리 제작팀에게 한 수 배우려고 내심 도슬렀다는 걸 안다. 전용 사진기와는 별도로 대형 비디오 사진기를 끌고 온 것이 그런 이유다. 물론 네댓 명이 달라붙는 다큐멘터리 팀의 메인사진기에 비하면 한껏 초라하지만, 프로는 역시 프로였다. 다큐멘터리 팀은 참 재발랐다. 그날 촬영한 비디오테이프는 반드시 취침 전에 확인 작업을 거쳐 즉각 보완했다. 촬영한 지 3일째에야 변 기자도 본격적으로 그들을 흉내 내기 시작했다. 나는 변 기자의 작업을 지켜보았다. 내가 현장에서 포착하지 못한 장면들이 의외로 많았다. 그 여행자의 영상이 대표적인 사례였다. 일주문 밖에서 시도한 삼보일배 과정에서는 무려 다섯 번이나 클로즈업되었다. 그것도 앵글에 따라 다양한 모습이었다. 아무튼 일단 그 미모에 시선이 끌렸는데, 보면 볼수록 낯이 익었다. 신애, 나는 그만 가슴이 철렁했다. 여행자는 신애를 쏙 빼닮은 모습이었다. 아니 신애였다. V라인 턱에 반듯한 콧날, 외까풀 눈에 짙은 눈썹, 헐렁한 소매 끝에 드러난 가냘픈 손목. 단지 어깨를 뒤덮은 머리칼 대신, 민머리로 시치미를 떼고 있을 뿐이었다. 나는 된숨을 몰아쉬었다. 하지만 여행자는 신애와 달리 키가 부쩍 더 컸다. 해탈문을 막 빠져나가는 그녀의 얼굴이 화면에 그득했다. 문신처럼 뚜렷한 이마의 생채기가 포착되었다. 나도 모르게 변 기자를 흘끔거렸다. 일그러진 표정이 가관이었다. 애인이야, 뭐야! 순간적으로 나는 툭 내뱉고 말았다. 그 거친 어조에 스스로도 깜짝 놀랐다.

다음날 동틀 녘이었다. 해우소 앞에서 뜻밖에 그 여행자와 맞닥뜨렸다. 나는 자칫 알은 체를 할 뻔했다. 깊은 눈매에 고즈넉한 맨 얼굴은 영상보다 훨씬 아리따웠다. 눈을 질끈 감았다가 떴다. 신애, 나도 모르게 입술이 벌어졌으나 그녀는 이미 총총히 사라지고 없었다. 나는 허겁지겁 요사채로 되돌아왔다. 지금 당장 양보해야겠어. 다짜고짜 뭔 소리에요? 감이 왔어. 분명 내 인연이라구. 심장이 한 줌 재가 되기 직전이라니까. 나는 변 기자의 손을 끌어당겨 내 가슴 위에 얹었다. 신애를 들먹이지 않으려니 자꾸 말이 과장되고 꼬였다. 어쭈, 웬 비장미까지 흘리시고? 선배, 너무 흥분한 것 아네요? 그놈의 비디오테이프가 원흉입니다. 하기야 인상이 강렬하긴 하죠. 솔직히 나도 내 마음을 주체하기 힘들더라구요. 역시 선배도 고놈의 눈높이 때문에……. 변 기자는 내 말을 일축하며 깐죽거렸다. 나도 어색하게 웃고 말았지만, 그날의 여파는 확실히 내 발목을 잡았다. 나는 틈만 나면 그녀를 좇기에 바빴다. 그녀가 눈에 띄지 않으면 괜히 안절부절못했다. 나는 참 소심한 인간이었다. 슬슬 변 기자의 눈치를 보는 것도 모자라, 엉뚱한 환상에 시달렸다. 모자를 쓴 그녀가 휑하니 일주문을 나서는가 하면, 내 옆의 조수석에 앉아서 꾸벅꾸벅 졸기도 했다. 급기야 하룻밤 꿈에서는 그녀의 알몸이 나를 덮쳤다. 다음날 나는 실제로 그녀의 하얀 종아리를 눈에 담았다.

'매 맞는 법'의 강좌가 있었다. 발우 공양하기, 걷기, 신발 벗고 신기, 해우소 가기 등의 기초적인 강좌에서 한 단계 올라선 강좌였다. 모처럼 남녀 행자들의 강의실이 분리되었다. 여행자 서른여덟 명은 공양을 하는 강당에 모였다. 모두들 마룻바닥을 방석 삼아 반가부좌를 틀고 앉았다. 먼저 선배스님이 단 위에서 시범을 보였다. 죽비를 든 강사스님의 손이 머리 위로 들렸다. 딱, 명쾌하고 가벼운 죽비소리가 났다. 죽비가 어깨에 닿기 직전의 한순간, 재바르게 어깨를 내리는 게 관건이었다. 다시 강사스님의 손이 들리고 선배스님의 어깨가 내려가고……. 찰나에 스치는 바람결처럼 유연하고 매끄러운 시범이 끝났다. 여행자들이 한 명씩 단 위로 올라갔다. 다시, 다시……. 불합격 판정의 연속이었다. 죽비 들어간다는 말에서부터 죽비가 떨어져 닿는 순간까지의 초읽기가 문제였다. 간극 조절에 성공하려면 감각적인 반응이 필수였다. 죽비소리가 끝없이 이어졌다. 언제부터였는가. 왠지 죽비 소리에 날이 선 듯한 느낌이 들었다. 그녀의 차례가 왔다. 그녀는 무려 아홉 번이나 죽비 세례를 받았다. 그러나 내내 침착하다 못해 당당한 태도였다. 시선을 한 곳에 고정시킨 채 결코 곱송그리지 않았다. 그런데 한순간 어렴풋이 들려오는 소리. 그것은 태연함을 가장한 속울음 소리였다. 문득 한 장면이 아련하게 떠올랐다. 밀려드는 기시감으로 심장이 팔딱거렸다. 반들반들한 민낯의 신애가 울음이 막 터지려는 눈매로 나를 바라보았다. 신애는 매운 눈매로 종내 울음을 꽁꽁 감추었다. 차라리 울어버려! 엉엉 울라구! 나는 차마 말을 토하지 못했다. 마음이 한없이 안쓰럽고 찐했다. 그녀의 눈빛은 영락없이 신애의 눈빛이었다.

신애는 형이 한때 사랑했던 여자다. 그리고 내가 사랑할 뻔한 여자이기도 하다. 신애와 형은 헤어지고 나서 어디론가 잠적했다. 각각 따로따로. 까마득한 세월의 저편, 벌써 8년이란 세월이 훌쩍 지나갔다. 지금 그들은 어디에 있는가. 행여 함께 있는 것은 아닌가. 각자 사라진 걸로 미루어 각자 홀로 있을 확률이 높다.

그날, 한 달에 한 번 열리는 '정신과학연구회'의 포럼이 있었다. 칙칙하고 낮은 하늘은 아침부터 비를 흩뿌렸다. 일기예보는 비가 그치면 기온이 급강할 것이라고 했다. 나는 패딩 점퍼에 목도리를 둘둘 감고 집을 나섰다. 축축한 버짐나무 낙엽이 자꾸 발에 밟혔다. 지하철을 타고 포럼 장소인 노동회관으로 향했다. 나는 당시, 한창 포럼에 열중하고 있었다. 정작 포럼에 나를 끌어들인 형은 그날까지 내리 세 차례나 결석이었다. 그 사이에 서로 전화 목소리만 주고받았을 뿐, 한 번도 우리는 만나지 못했다. 우리는 무던히도 소원한 상태였다.

형은 대학 졸업식을 치르고 한 달여 뒤에 짐을 꾸렸다. 부모의 동의와 상관없이 소위 독립을 한 거였다. 나는 제대를 한 날, 군복을 입은 채로 형을 찾아갔다. 형은 물감이 뚝뚝 떨어지는 붓을 팔레트에 내던지고 덥석 나를 얼싸안았다. 숨 막혀, 제발 좀 그만, 그만! 나는 투덜거리며 형을 밀쳤다. 짜식, 니가 이 형의 심연을 어찌 헤아리겠냐. 일단 방으로 들어가자. 형은 팔을 풀어내고 내 등을 한 차례 세게 쳤다. 화실 한쪽 구석에 딸린 방은 좁고 옹색했다. 온갖 잡동사니와 생활용품들이 무질서하게 나뒹굴었다. 거의 창고 수준이었다. 물론 방 밖의 화실 내부도 거기서 거기였다. 이젤, 캔버스, 물감, 액자를 비롯한 화구 외에도 별의별 집기와 도구들이 자리를 못 잡고 있었다. 그나마 창 쪽에 자리한 책상 위 공간이 좀 정돈된 모양새였다. 모니터를 축으로 은회색 오디오, 전기포트, 머그잔들이 제법 잘 비껴나 있었다. 어때? 황제의 내실에 오신 소감이? 형은 양 팔을 벌리며 어깨를 으쓱했다. 마침 그날이 포럼이 있던 날이었다. 넌 무조건 날 따라가면 돼. 가보면 알아. 나는 그렇게, 얼떨결에 포럼에 첫 발을 디뎠다.

지하철 역사를 빠져나왔다. 빗줄기 대신 진눈깨비가 시야를 가렸다. 습기 찬 보도블록이 약간 미끈거렸다. 회관에 들어섰다. 을씨년스런 날씨에도 불구하고 회원들이 속속들이 모여들었다. 빈자리가 별로 없었다. 그날의 주제는 '존재는 파동이다'이고, 발표자는 나였다. 물리학에 문외한인 나는 준비 과정부터 버거웠다. 오직 패기 하나로 밀고 나갔다. 1930년, 40년대의 과학 이론을 도입부로 삼았다.

이 '아쿠아디지오'는 시칠리아 해변의 파도 냄새를 연상시킨다는 향수입니다. 향수를 뿌려 보겠습니다. 어떻습니까. 냄새를 맡으셨나요? 이 향은 지친 심신에 상쾌한 활기를 뿜어 에너지를 북돋아준다고 합니다. 여기, 음악을 준비했습니다. 요한 슈트라우스의 왈츠 '봄의 소리'입니다. 함께 들어보시죠. 다음은 모짜르트의 '플루트 4중주곡'입니다. 마지막으로 비에냐브스키의 '화려한 폴로네이즈'를 듣겠습니다. 이제 우리의 생체는 하루 중 머리가 가장 맑다는 새벽녘의 상태로 전환되었습니다. 이런 향기와 소리와 인간은 과연 무엇으로, 어떻게 연결되는 걸까요? 그냥 코로 맡고 귀로 듣는 걸까요? 그것이 바로 파동입니다.

파동을 증명하는 과정으로 넘어갔다. 핵심적인 내용은 이런 것이었다. 무한한 패턴으로 가득 찬 우주는 패턴대로 어떤 힘이 끊임없이 발현되고 있다. 무수한 패턴들의 기본인자는 무엇인가. 일단 빛을 끌어냈다. 빛들이 서로 연결되어 정보를 주고받는 것 같다는 이론에 주목했다. 나는 PPT를 통해 빛이 각도에 따라 뻗어나가는 길을 보여주었다. 원자에서 튀어나온 두 빛이 서로 반대 방향으로 달린다. 빛이 통과하는 곳에 편광 렌즈를 설치한다. 두 빛은 원자에서 멀어질수록 같은 행동을 할 가능성이 점점 희박해진다. 자신의 파동과 평행, 즉 180도면 렌즈를 통과하고 45도면 통과하거나 안 하기도 한다. 이들은 통과하거나 통과하지 않는 통일성을 보인다. 두 빛이 서로 연결되어 있다는 뜻이다. 결론을 내렸다. 멀리 떨어져 있는 물체라도 완전히 구분해 생각할 수는 없다는 것이다. 나는 여느 발표자들처럼 질문 시간을 할여했다. 편광 렌즈에 대해 알고 싶은데요? 다소 초보적인 첫 질문이 나왔다. 질문자는 바로 신애였다. 빛의 파장이 일정한 각도일 때만 통과하는 렌즈죠. 그녀의 눈동자에 얼핏 편광 렌즈가 스쳤다. 아인슈타인이 말했잖아요? 떨어져 있는 것은 독립적으로 존재한다는 원자의 세계에 관해서요. 인간 세계에도 적용될까요? 두 번째 질문을 마친 그녀의 망막에 한 자락 음영이 서렸다. 나는 그만 가슴이 우둔거렸다. 잠시 주춤거리다가 입을 열었다.

뒤풀이 시간에 맞춰 나온 거리는 벌써 어둑어둑한 기운이 요동쳤다. 근처의 닭갈비 식당으로 몰려 들어갔다. 소주잔이 오가고 채 못 다한 토론이 이어졌다. 그녀는 보이지 않았다. 나는 다음 달 포럼에는 빠졌다. 기말 시험과 리포트에 발목이 잡혀 있었다. 동문 전시회 준비로 정신이 없다. 시간 나면 꼭 집에 갈게. 형과는 문자만 계속 다문다문 주고받았다.

세밑 토요일이었다. 친구 H, Y와 함께 북한산에 오르기로 했는데, 아침부터 쌀알 같은 눈발이 쏟아졌다. 오리털 파카에

귀막이가 달린 털모자를 쓰고 나섰다. 약속한 시내버스 정류소에 당도하자, 목화송이만한 함박눈이 휘날렸다. 시야는 온통 눈 범벅이었다. 야, 오늘 산행은 끝났다. 인사동이나 돌아보자. Y의 제안에 우리들은 흔쾌히 지하철 역사로 향했다. 지하도로를 걸으며 모자에 쌓인 눈을 터는데 휴대폰이 부르르 떨었다. 형이었다. 바쁘냐? 화실을 좀 정리하려고. 와줄래? 물음이 잇달았다. H가 내 어깨를 토닥거렸다. 가봐, 인마. 니 없이도 우리, 얼마든지 해피하게 놀아줄게.

화실은 5층 건물의 지하에 위치한다. 화실로 내려가는 계단은 바깥과는 달리 건조했다. 뜻밖에 화실 문이 닫혀 있었다. 벨을 누르고 문을 두드려도 묵묵부답이었다. 번호 키가 눈에 들어왔다. 우리 의초롭잖아? 너와 나, 생일날 알지? 언젠가 번호를 누르려던 형이 나를 돌아보고 씩 웃었다. 나는 귀썰미가 좋았다. 7개의 숫자를 일렬로, 앞뒤에 별표를 조합했다. 문이 열림과 동시에 냉기가 훅 끼쳤다. 나도 모르게 멈칫멈칫 발을 디디다가 그만 우뚝 섰다. 여기가 분명 화실 맞아? 나는 눈을 한껏 키웠다. 형의 화실이 아니었다. 그저 텅 빈 공간이었다. 그 많던 화구들은 물론, 벽면에 촘촘히 걸렸던 액자 하나가 보이지 않았다. 천천히 발을 옮겼다. 책상만이 달랑 제자리를 지키고 있었다. 아, 그리고 낯선 은빛 테두리 액자가 문과 나란한 벽면에 세워져 있었다. 5호 정도쯤 되는 젊은 여인의 초상화였다. 둥근 창 모자를 쓴 여인은 창백한 낯으로 사색에 잠겨 있었다. 문득 모딜리아니의 '잔느의 초상'이 떠올랐다. 액자 속의 여인도 잔느처럼 목이 길고 가늘었다. 위태롭고 불안정해 보였다. 몽파르나스의 전설이라구. 형은 의자에 앉은 내 뒤에 서서 모딜리아니를 이야기했다. '내가 추구하는 것은 사실이나 허구가 아닌 무의식이다.' 나는 모딜리아니의 이 말을 죽는 순간까지 기억할 거다. 모딜리아니의 말을 옮기면서 형은 눈을 지그시 감았다. 고등학생인 나는 몇 차례인가 형의 모델이 되었다. 형은 모딜리아니를 흠모하다 못해 아예 모딜리아니의 사진을 놓고 초상화도 그렸다. 현신애를 위한 모딜리아니. 액자 뒷면에 쓰인 글씨는 형의 필체가 분명했다. 그 밑에 종이쪽지가 나풀거렸다. 민기야, 을지사랑병원 간호사다. 가슴이 철렁했다. 나는 비로소 그 낯선 정황들을 재빨리 스케치했다. 온몸의 맥이 빠지면서 하전했다. 그대로 털썩 주저앉았다. 현신애가 포럼에서 본 그녀라는 건 상상도 하지 못했다.

나는 털썩 시멘트 바닥에 주저앉는다. 선득한 느낌이 온몸에 감돈다. 하지만 흐리마리하던 정신은 명료해졌다. 파스락 파스락, 행자들의 소맷자락 나풀거리는 소리가 아스라이 울린다. 행자들은 한창 정진 삼매경에 빠져 있다. 날이 밝으면 제각각 구도의 길을 떠날 사람들이다. 처마 끝의 풍경이 미리 배웅이라도 나선 듯 팔랑거린다. 별안간 변 기자가 내 팔을 툭툭 치며 턱으로 오른쪽 모퉁이를 가리킨다. 다큐멘터리 제작팀이 빙 둘러 모여 있다. 무엇인가를 의논하는 눈치다. 신경 쓰지 마. 저들은 영상 위주로 나가는 거잖아? 우린 이쯤에서 가뿐하게 철수하자구. 회향식 전에 마지막으로 한 잔, 어때? 아직 끝나지도 않았는데……. 아우, 또 그놈의 범생이 나오시네. 철야정진이란 게 말이지, 쭉 한결같다니깐. 더 이상 별다른 씬이 안 나와요. 게적지근하면 끝날 때쯤 와서 몇 컷 찍든지. 나는 말을 건네는 중에도 법당 안을 기웃거린다. 도대체 그 여행자는 어디쯤에 있는가. 괜히 입 안이 바짝바짝 타고 가슴이 시리다. 마치 내가 그 여행자를 다시는 볼 수 없는 곳으로 떠나보내는 것처럼. 어쩌면 형은 신애를 떠나보내지 못한 궁여지책으로 스스로 떠났는지도 몰랐다. 나는 신애가 내 곁을 떠날까 보아 얼마나 바자워했던가. 떠나보내려던 내 제스처는 실상 어쩌지 못한 항변의 몸부림이었다. 내심 그녀가 떠나리라는 확신이 있었기에. 가, 가자구! 나는 거칠게 변 기자의 팔을 잡아끈다.

뚜벅뚜벅 앞장서서 걷는 내 뒤를 타박타박 변 기자가 뒤따라온다. 목탁 소리가 점점 더 멀어져 간다. 이번 커브를 돌면 적당한 내리막길이다. 참, 선배! 새삼 또 궁금증이 유발하네요. 그날, 그 남행자 말입니다. 그 큰 바랑이 무엇으로 그리 빵빵했을까요? 대체 뭘 가뜩 넣었기에……. 뭐긴 뭐야, 탐욕 덩어리지. 나는 깜깜한 허공에 대고 불퉁스럽게 내뱉는다.

온종일 참선 수행이 있던 날이었다. 오전부터 겹겹이 내려앉은 잿빛구름은 오후에도 걷힐 기미가 없었다. 취재거리도 미미한 데다 날씨마저 잠포록해 영 따분했다. 한바탕 땀이라도 뺐으면…… 사우나 생각이 간절했다. 우리는 저녁 공양을 포기하고 절을 빠져나왔다. 부도전을 지나다가 이끼 낀 비석의 용머리에 시선이 갔다. 부릅뜬 눈, 커다란 입에 문 여의주. 뿜어나는 기운을 지나치지 못해 바투 다가갔다. 슬쩍 여의주의 한 면을 손으로 쓰는데, 뒤에서 인기척이 났다. 누군가가 쏜살같이 우리 곁을 스쳐갔다. 발이 바람처럼 빨랐다. 순식간에 저만치 멀어진 뒷모습을 물끄러미 바라보았다. 와, 축지법 도사네요. 변 기자도 감탄을 했다. 일단 남행자라는 직감이 들었다. 설핏 본 옆태나 뒤태로 보아 나이는 꽤 들어 보였다.

실제 행자들의 나이는 천차만별이다. 여행자 쪽은 삼십 대와 이십 대로 고른 편이고, 남행자는 청소년부터 중년까지 폭이 넓다. 그들 중에는 부자간도 있다. 의외로 출가 선배는 대학 2년을 중퇴한 아들이다. 이 부자는 당연히 밀착 취재 대상이었다. 어제, 어머니요 아내인 여인을 앞마당 석등 옆에서 만났다. 비록 가정은 조각났어도, 한번 와보고 싶었죠. 여인이 표정이 더없이 어두웠다.

변 기자, 지금도 바랑 안이 궁금해? 궁금할 것 없어. 그 행자도 출가본사에서 이미 6개월 이상 교육받았잖아? 하지만 결국 극기에 실패한 거지. 선배, 지금 내 머리가 안개 속이에요. 그러니까 더 깊은 정진 수행에 들었다가 새로운 번민에 침몰당한 거잖아요? 그 아이러니를 어떻게 설명하죠? 글쎄, 그래서 모두들 초심! 초심! 하는 거 아닐까? 초심을 잃지 않으려면 뼈를 깎는 고통이 따른다는 말이 왜 있겠냐구. 예비 스님의 길도 절대 만만찮아. 변 기자는 갸우뚱거리던 고개를 끄덕인다. 회향식을 치르면 다 예비 스님이라고 불리는 게 맞나요? 그렇지, 공식 칭호로는. 그들은 이제 강원이나 선원에서 4년 동안 종단의 기본 교육을 수료하고 구족계를 받을 거야. 그럼 비로소 스님의 반열에 오르는 거지. 나는 말을 맺고서 예비 스님으로 거듭날 행자들을 떠올린다. 물론 그 여행자의 얼굴이 제일 먼저 어른거린다.

상가 입구에 들어서니 음식 냄새가 진동한다. 식당마다 손님들로 잔칫집 분위기다. 며칠 전만 해도 이 시간대에 문을 연 곳은 한 군데도 없었다. 몇 차례 들렀던 '고향집'을 향해 잰걸음을 한다. 간신히 구석자리에 엉덩이를 붙이고, 빈대떡과 소주 두 병을 주문한다. 변 기자와 나는 약속이나 한 듯 첫 잔을 단숨에 털어 넣는다. 참 별스럽다. 티끌 한 점 없는 액체가 까끌까끌 목에 걸린다. 또한 혀에 닿은 느낌은 밍밍하다 못해 씁쓰름하다. 나는 말없이 변 기자의 빈 잔을 채워준다. 변 기자는 서슴없이 잔을 또 비워버린다. 천천히 마셔. 정작 마시려고 작정했던 나는 한 발 뒤로 빠진다. 변 기자는 시선을 술잔에 고정한 채 말이 없다. 몇 잔째부터인가. 우리는 시선을 마주치고서 여전히 입을 다문 채 훌짝거리기만 한다. 마지막 잔을 채우지 못한 나는 한 병을 더 추가한다. 선배, 우리 그만 해요. 아까부터 선배 얼굴이 영 엉망이라구요. 완전 쭈그러졌다니까요. 뭐라구? 사돈 남 말 마시오. 그대 얼굴은 적어도 나보다 더 흉흉합니다. 자, 빈대떡이나 드시오. 나는 변 기자의 손에 젓가락을 쥐어준다. 중년의 주인 남자가 소주병을 탁자에 내려놓는다. 스님처럼 말끔히 삭발한 두상이 돋보인다. 오늘, 무슨 날이에요? 나는 한 손에 소주병을 들어 올리며 묻는다. 회향식을 보려고 온 가족들이랍니다. 몰랐남요? 변 기자가 눈을 똥그랗게 뜬다. 이 시대의 풍속도를 우리만 모르고 있었다. 가족 몰래 수계식을 치르던 일은 역사의 한 장으로 스러져버렸다.

시끌벅적한 상가를 빠져나온다. 흠뻑 취하고 싶었는데, 정신이 너무 말짱하다. 변 기자는 또 다시 묵언 수행에 들어갔다. 나도 금세 변 기자에게 전염되고 만다. 발소리만 저 혼자 씩씩하게 소리를 낸다. 느닷없이 형의 모습이 시야를 가린다. 형, 형! 마음도 혼자서 큰소리를 지른다. 형이 그립다. 보고 싶다. 이런 기분은 처음이다. 나는 자꾸 비척거린다. 형은 독종이다. 떠난 지 2년쯤 뒤엔가 잘 있다는 짤막한 문자가 처음으로 날아왔다. 선배, 갑자기 집이 그립네요. 변기자의 목소리가 내 머리를 깨운다. 어디선가 짙은 알코올 냄새가 번져난다. 그래, 그 맘 내가 안다 알아. 그 동안 독수공방 홀아비로

참 외로우셨어요, 끔찍했지요? 맞습니다. 끔찍했어요. 그 동안 얼마나 잠을 설쳤게요. 헌데 싱글 님은 무슨 연유로 밤이면 밤마다 고상고상하셨나이까? 어쭈, 시비하는 거야 뭐야? 희떠운 소리 작작하고, 솔직히 그대 불면증은 제수씨와 상관없잖아? 렌즈 속 애인이 운다, 울어. 장난기가 발동했다. 나는 변 기자의 코앞으로 바짝 얼굴을 들이민다. 어두운 밤빛에 떠도는 변기자의 어색한 미소, 시무룩한 표정. 참 객쩍은 반응이다. 농담조의 말에 저리도 진지하고 순연하게 대응하다니. 매표소를 지난다. 칠흑 같은 어둠에 눅눅한 습기가 달라붙는다. 아무래도 빗방울이 떨어질 조짐이다. 빨리 가자구. 시시콜콜 따지지 말고. 나는 창언하며 걸음을 재우친다. 한 생각이 머릿속을 맴돈다. 우리는 어차피 다른 길을 걸어가는 사람들이다. 변 기자, 나, 여행자……. 아니 신애와 나는 물론 신애와 형도 그렇다. 나는 네가 아니고 너는 내가 아니다. 그래서 한 사람이 한 사람에게 그림 따위를 전해달라는 구차한 부탁을 한 것이다.

나는 신애를 찾아갔다. 형의 충실한 심부름꾼으로 그림을 들고 간 건 아니었다. 1층 안내 데스크에서 그녀의 부서를 확인했다. 9층 입원병동이었다. 승강기를 타고 올라갔다. 지금 병실 순회 중인데요, 잠시만 기다리시죠. 모니터에 시선을 박고 있던 간호사의 안내였다. 데스크로 오면서 지나친 로비 쪽으로 향했다. 한 발 한 발 디딜 때마다 소음이 일었다. 반들거리는 바닥에서 파생한 마찰음이었다. 신경이 쓰여 발밑을 주시하며 걸었다. 불쑥 흰색 슈즈가 눈에 밟혔다. 하마터면 신발의 주인과 정면으로 부딪칠 뻔했다. 고개를 번쩍 들었다. 현신애, 라고 쓰인 명찰이 한눈에 들어왔다. 민우 형, 아시죠? 얼떨결에 형의 이름을 툭 뱉은 나는 당혹감에 휩싸였다. 그녀의 얼굴은 주제발표를 했던 그 시간을 생생하게 상기시켰다. 그녀도 당황하는 기색이 역력했다. 내 입에서 엉뚱한 말이 튀어나왔다. 뒤풀이에 오지 않아서 섭섭했다, 더 많은 얘기를 하고 싶었다 등등. 아무리 횡설수설한다 해도 전혀 그 자리에 어울리는 말이 아니었다. 그녀의 퇴근 시간은 한참 뒤였다. 그녀는 내 전화번호를 묻고 돌아섰다.

일주일이 지나도록 신애는 감감했다. 화실을 비워주기로 한 날이 왔다. 시베리아의 으스스한 공기가 밀려든 거리는 음침하고 매서웠다. 건물에 들어서자 상대적으로 따스했다. 나는 화실 입구에 시선을 두고 걷다가 벽면에 드리운 실루엣을 발견했다. 어둠으로 밀착된 그림자 실루엣. 바로 그녀였다. 그녀는 예사로운 몰골이 아니었다. 얼굴은 푸르뎅뎅하고 눈은 때꾼했다. 나는 황급히 그녀를 부축하고 다시 계단을 밟았다. 무작정 1층 출입문에 인접한 커피숍으로 들어갔다. 그렇게 훈훈한 실내는 난생처음이었다. 카페라떼의 향기는 뒷전이었다. 그녀는 기어들어가는 목소리로 캐모마일을 주문했다. 차가 나올 때까지 침묵이 이어졌다. 파스텔 블루 잔에 담긴 캐모마일이 나왔다. 한 모금 입술을 축이고 난 그녀가 입을 열었다. 겨우 입원시켰는데 감쪽같이 사라져버렸어요. 그때 포럼 끝나고 며칠 뒤의 일이죠. 입원이라뇨? 모르는 게 당연해요. 그녀는 주저리주저리 말을 늘어놓았다. 그인 늘 미술대전 수상이라는 타이틀에 구속되어 있었어요. 잠깐만요. 나는 그녀의 말을 끊고 두 손으로 머리를 감쌌다. 머릿속이 혼란스러웠다. 형은 내가 믿고 따르던 그 사람이 결코 아니었다. 야릇한 배반감이 스멀스멀 올라왔다. 열이 뻗쳤다. 결핵이라는 병력 자체가 금시초문이니, 재발과 재입원은 어느 별나라 얘기라야 마땅했다. 아니 형이 문제가 아니었다. 형을 그렇게도 모르고 있었던 내가 문제였다. 속이 울렁거렸다. 한 모금 마신 원두커피가 심히 역겨웠다. 나는 냉수를 들이켰다. 그녀의 말이 이어졌다. 청소년기의 환상이랄까요, 그 화려한 타이틀을 등에 업은 영광이랄까. 순수한 열정, 열망이라고 하기엔 정말 도가 지나쳤어요. 집착이죠. 미술대전에 거듭거듭 낙방하면서 점점 딴 사람이 되었어요. 언제부턴가 수강생도 받지 않고 틀어박혀 오직 포트폴리오 전시 준비에만 매달리는데…… 얼마나 마음이 바글거렸게요. 문득문득 선득한 기분도 들고요. 어쨌거나 그인 쫓기며 살 수밖에 없었죠. 돈에, 시간에……. 그 스트레스를 술과 담배에 풀어대면서요. 친구라며 가끔 들르던 풍채가 끌밋한 스님이 있었는데, 스님도 그

이를 어쩌지 못한 것 같았어요. 나는 그녀의 얘기를 귀담으면서도, 줄곧 한 생각에 끌려가고 있었다. 그녀가 결핵 운운할 때부터 이상하게 모딜리아니가 떠올랐다. 일찍이 뇌수막염인가로 세상을 뜬 모딜리아니. 그도 한때 결핵 환자였다. 모딜리아니와 형이 보이지 않은 끈으로 맞닿아 있는 것 같은 느낌이랄까. 모딜리아니는 생애 단 한 번 개인전을 열었는데 실패했다. 물론 죽은 뒤에 각광을 받았지만. 나는 문득 형의 무의식, 형이 추구한 무의식의 세계가 궁금했다. 아까와는 달리 커피가 당겼다. 커피 잔을 들어올렸다. 돌연 그녀가 볼멘소리를 냈다. 중뿔나게도 나는 막 따졌죠. 미술대전이 목숨보다 더 소중하냐고요. 넌, 영혼이 없는 껍데기야. 물질이야! 그는 송곳 같은 면박을 날리곤 했어요. 우리는 지겹도록 대립 각을 세울 수밖에 없었어요. 나는 밍근한 커피를 단숨에 마셨다. '내가 당신의 영혼을 알 때, 당신의 눈동자를 그릴 것이다.' 모딜리아니의 말이 텅 빈 커피 잔을 채웠다. 눈동자가 사라진 모딜리아니의 그림들이 테이블 위에 펼쳐졌다. 그리고 형이 그린 초상화, 두 눈동자가 선명한 그녀의 모습이 내 앞에 나타났다. 커피숍을 나왔다. 나는 그녀에게 집까지 바래다주겠다고 말했다. 그녀는 모진 데가 있었다. 새치름한 표정을 지으며 냉갈령을 부렸다. 나는 하릴없이 서 있었다. 그녀의 뒷모습이 소실점으로 남을 때까지.

나는 형의 부탁을 묵살했다. 새까만 눈동자가 또렷한 초상화를 건네주기 싫었다. 내 머릿속에서는 시시때때로 두 생각이 충돌했다. 당장 형을 찾아야 한다는 생각과 형이 나타나지 않아야 한다는 것이었다. 그리고 그녀의 모습이 자꾸 눈에 삼삼했다.

며칠 동안 꽃샘추위가 기승을 부리던 나날이었다. 청산 받지 못한 보증금 문제로 화실 근처의 부동산에 들렀다. 어둑발이 들면서 거리의 네온사인이 하나 둘 반짝이기 시작했다. 저절로 화실 쪽으로 고개가 돌아갔다. 건물 입구에서 한 여인이 서성이고 있었다. 신애라는 직감이 왔다. 나는 한달음에 달려갔다. 신애는 무릎을 스치는 얄팍한 니트 상의에 손수건만한 스카프로 목을 싸고 있었다. 얼굴이 몰라보게 야위고 푸석푸석했으나 눈빛만은 매웠다. 그런데 그 눈빛이 왜 그리 짠했던가. 나는 그만 울컥해 그녀를 껴안고 숨을 죽였다. 그녀는 맥을 놓은 것처럼 아무런 감응도 없었다. 그녀의 몸은 영락없이 뿌리 들린 나무였다. 그녀가 거주하는 병원 사원아파트까지 동행했다. 그녀를 침대에 누이고 나오다가 무심코 머리맡에 시선이 갔다. 가지런히 놓인 약병들은 리팜피신과 아이나였다. 그녀는 결핵을 앓고 있었다.

나는 언제 어디서나 신애가 있는 곳이면 달려갔다. 우리는 보통의 연인들처럼 충실하게 시간과 공간을 키워갔다. 허브차 마시기. 영화보기, 맛집 찾아가기, 공원 산책하기, 쇼핑하기 등등. 그러면서도 그녀는 언제 어디서나 검질기게 형을 설명했다. 그인 스릴러물을 즐겼는데, 그인 설렁탕 집 김치를 맛있어 했는데, 그인 체크 남방이 잘 어울리는데……. 항상 형을 의식하고 있다는 시위였다. 아니다. 형을 망각하지 않으려는 몸부림이었다. 나는 형을 의식하지 않았다. 형을 망각했다. 나는 현재 시간의 존재만 의식하기에도 벅찼다. 떠난 사람은 형이고, 그녀는 내 곁에 남아 있었다. 한 계절이 매끄럽게 지나갔다. 처음으로 그녀와 함께 여행 계획을 세웠다. 어린 시절의 소풍 전날처럼 한숨도 못 자고 아침을 맞았다. 나는 약속시간 1시간 전에 도착했다. 그녀를, 강릉행 고속버스 출발선에서 기다리고 또 기다렸다. 고속버스는 줄기차게 터미널을 빠져나가고, 그녀는 끝내 오지 않았다. 긴 문자가 그녀를 대신했다.

〈유리창을 뚫고 들어오는 빛. 빛은 시각을 스치며 온몸을 가시처럼 찌른다. 블라인드를 내린다. 빛이 블라인드 밖에서 주춤거린다. 저 빛이 혹 정지할 수도 있는가. 뻗치지 못한 빛살이 빙글빙글 돈다. 난데없이 빛 무더기 속으로 빨려 들어간다. 우리가 빛이라면, 우리 사이에는 편광 렌즈와 같은 차단막도 있겠다. 나는 그저 민우 씨와 나란히 나누어진 광자이고 싶다.〉

휴대폰을 잡고 있던 손끝이 바들바들 떨렸다. 그녀의 본심이 여과 없이 날것으로 드러났다. 형이 화실을 떠나듯, 그녀도 훌쩍 병원을 떠나버렸다.

해탈문이 바로 코앞이다. 신애를 닮은 그 여행자가 그립다. 괜히 가슴이 뭉클하다. 그녀는 여태 삼천 배의 삼매경에 빠져 있을 터다. 이제 날이 새면 모두가 이별이다. 불현듯 염불 소리가 쟁쟁하게 울려 나온다. 나는 한순간 귀를 의심한다. 염불이 끝나고 큰절이 시작되는 걸 보고 나왔는데, 벌써 큰절을 마치고 석가모니불을 염하는가. 모를 일이다. 내 귀는 계속 염불 소리를 토한다. 아, 그러고 보니 그 여행자를 그만 지나친 듯하다. 몇 번 큰절을 반복한 한 여행자가 엎드린 채 꿈쩍도 하지 않았는데. 아무래도 그 여행자의 몸짓이지 싶다. 왜 그랬을까. 경내에 들어선다. 정원수들의 그림자가 짙게 깔려 있다. 원형의 나무보다 더 운치 있고 아름답다. 나는 성큼 그림자 안으로 발을 들이민다. 별안간 물기가 뺨에 번진다. 는개가 뿌린다. 기어이 허공을 맴돌던 습기가 내려왔다. 나는 뺨을 문지르며 변 기자에게 눈길을 보낸다. 변 기자의 동공이 반짝인다. 물빛인지 불빛인지 아리송하다. 선배! 다시 또 질문 나갑니다. 착 가라앉은 변 기자의 목소리가 현실감을 불러일으킨다. 선배는 유독 출가 동기에 대해 파고들던데, 뭣 때문인지……. 그래, 맞아. 절집 계율이 엄격하고 까다롭다는 거, 잘 알잖아? 그 계율에 혼신을 다하는 수행자들을 보면서 회의가 들더라구. 왜, 꼭 수행을 마쳐야만 구도자가 될 수 있는가. 절대로 본질적인 수행 가치를 도외시해선 아니고……, 수행도 일종의 치장이 아닌가 하는 생각이 들더군. 물론 내실을 위한 치장이지만. 결국 내실을 좇다 보니 출가 동기에 이른 거야. 동기가 자각에서 비롯되고 또 명확한 사람만이 수행을 마칠 수 있다는 확신이 선 게지. 떡잎부터 알아본다는 말과 비슷한 논리인가? 아, 네. 지금 이해가 오고 있습니다. 변 기자가 미심쩍은 미소를 머금으며 고개를 주억거린다. 어느새 요사채 앞의 우물가에 당도했다. 우물물은 여느 때처럼 철철 넘쳐흐른다. 바람결에 이는 물무늬가 여린 풀잎처럼 곱다. 한쪽에 놓인 조롱 바가지로 물무늬를 거두어 본다. 물무늬는 일시에 흐트러지고 만다. 어? 저기, 저기 좀 봐요. 변 기자의 다급한 목소리에 선뜻 고개를 든다. 한 행자가 사천왕문을 향해 느릿느릿 내려가고 있다. 등에 자그마한 바랑이 착 달라붙었다. 왠지 걸음걸이가 낯익다. 어깨를 약간 뒤로 젖히고 반듯하게 걷는 폼이 영락없이 그 여행자다. 아직까지 뾰쪽 구두 신고 걷던 세속의 버릇을 못 버렸단 말인가! 강사 스님의 쩌렁쩌렁한 목소리가 들려온다. 그 여행자지? 나는 물음으로 내 눈썰미를 확인하고 황황히 그녀를 뒤쫓는다. 는개가 눈꺼풀에 집중적으로 달라붙는다. 눈 속으로 파고든다. 저, 여성시대 기잡니다. 나는 그녀의 앞을 다짜고짜 가로막는다. 도망자도 취재 대상이 되나 보죠? 그녀는 말끝을 야무지게 맺으며 길을 재촉한다. 는개는 이제 부슬비가 되어 물방울을 떨어뜨린다. 곧 회향인데 왜, 여태까지 잘 행하다가…… 지금 어디로……. 입 안에서마저 말이 엉킨다. 그녀는 내 존재에 아랑곳하지 않고 묵묵히 앞만 주시하며 걷는다. 손전등 불빛에 빗줄기가 바스러져 은가루로 흩날린다. 그녀의 흰 고무신에도 내 까만 구두에도 은가루가 내려앉는다. 매표소를 지나 정류소에 이른다. 그녀는 시간표가 붙은 게시판 앞으로 다가간다. 첫 버스는 새벽 여섯 시다. 그녀의 맨얼굴이 빗물로 반들거린다.

떠들썩하던 상가는 거의 파장 분위기다. 모텔에 빈방이 겨우 하나 남아 있다. 열쇠를 받아 들고 2층으로 올라간다. 방문 앞에 서는데, 순간적으로 가슴이 달아오른다. 본연의 의무감이 치솟는가. 편집부장의 기대에 부응할 마지막 기회가 온 것이다. 아니 그런 까닭이 아니다. 그 이전에 순순하게 가슴을 두드린 느낌이 있었다. 그렇다면 이 상황에서 나는 어떻게 해야 하는가. 차라리 막무가내로 따라올 때가 좋았다. 초조하다. 엉거주춤 그녀를 바라본다. 그냥 들어가 쉬지요. 그녀의 또박또박한 발음이 내 말에 앞서 터진다. 텔레파시가 통했는가. 아니 벌써 타심통의 경지에 이르렀는가. 들어가지요. 그녀가 무표정한 얼굴로 채근한다. 방문을 열고 들어선다. 침대가 없는 온돌방이다. 거울이 부착된 벽의 구석에 이불이 놓여 있다. 이불 한 채를 문 앞으로 옮겨놓고, 한 채는 그 자리에 펼친다. 그녀는 요 위에 반가부좌로 앉아 이불로 하반신을 덮고 눈을 감는다. 나도 슬그머니 눈을 감는다. 부자연스런 침묵이 흐른다. 참 시간이 더디기만 하다. 자는 건 아니죠? 나직한 그녀의 목소리에 나는 눈을 비비댄다. 그녀는 덮고 있던 이불을 한쪽으로 밀친다. 물 좀 마시려구요. 나는 발딱 몸을 일으켜 정수기 쪽으로 간다. 종이컵에 정수를 받아 그녀에게 건넨다. 합장을 하고 나서 그녀는 종이컵을 받아 목을 축인다. 철야정진을 시작하면서 수없이 되뇌었어요. 이 길만이 유일한 나의 길이라구요. 석가모니불을 염하는데 한순간, 목이 꽉 잠기는 거예요. 모래알이 입안에서 버석거리고, 현기증까지 이는데……. 반드시 이 길을 가야 하는가. 온갖 망상이 벌떼처럼 달려들기 시작했어요. 시간은 계속 흐르고……. 행자도 좋고, 머리를 길러도 상관없다는, 별 의미 없는 모호한 결론에 도달했어요. 그때 갑자기 저를 이끌어준 노스님의 말씀이 생각났어요. 나를 옭아매지 않으려고 택한 길이 나를 더 꽁꽁 묶을 수도 있다고 하셨죠. 그녀는 잠깐 말을 중단하고 물을 마신다. 나도 무슨 말인가를 해야 하는데, 선뜻 입이 떨어지지 않는다. 그녀가 살며시 입 꼬리를 올린다. 참 야릇해요. 왜 이리 홀가분하죠? 어디로든 훨훨 날아갈 것 같아요. 이래봬도 제가 갈 곳이 참 많은 중생이랍니다. 정말, 가실 덴 있어요? 그럼요. 지난 동짓날, 추적추적 진눈깨비를 맞으며 은사 스님 모시고 갔던 데가 있죠. 어딘데요? 청기와 암자예요. 계룡산 갑사 아시죠? 그곳에서 계곡을 끼고 쭉 올라가면 나와요. 아, 네. 근데, 하필 그 추운 동지에 왜 산을 오르셨죠? 절집에선 동짓날을 새해 전날로 쳐요. 지나온 1년을 갈무리하는 날이죠. 나는 비로소 술술 말을 푼다. 내가 알고 있는 동지에 대해 설명한다. 영어로는 '솔스티스(solstice)', 태양(sol)이 서 있는 상태(stice)지요. 그래서 고래로부터 특별한 날로 정하고 의례를 행해왔나 봅니다. 어둠과 추위를 떠나보내고 밝음과 따스함을 맞이하는 날이니까요. 어느 틈에 그녀와 나는 서름함을 떨치고 스스럼없이 말을 나눈다. 설핏 본 그녀의 미소가 곱다. 신애도 내 말을 경청하면서 저처럼 고운 미소를 머금곤 했다. 기자님이시니, 혹 부부 대처스님이라고, 아시나요? 아뇨, 처음 듣습니다. 바로 청기와 암자 스님들이에요. 남편이 처음 들어와 목탁을 쳤고, 이따금씩 부인이 들렀대요. 그러던 어느 날, 부인이 머리를 깎고 왔답니다. 그러자 남편이 그냥 하산을 해버렸대요. 그러니 부인 혼자 한동안 암자를 지킬 수밖에요. 지금은 자식이 올망졸망 셋이나 돼요. 애들 모습을 데생화로 걸어놓았는데, 어쩜 사진으로 착각했지 뭐예요. 스님들은 정말 끌끌한 세속인이 아닐까요? 글쎄요, 한동안 혼란스러웠어요. 속가와 절집, 세속인과 수행인의 경계가 뒤죽박죽 얽히는 바람에……. 헌데 지금은 한데 어우러진, 경계가 허물어짐이 왜 그리 안온하고 평화롭게 느껴질까요?

빗줄기가 제법 굵어졌다. 빗물에 유리창이 하염없이 씻긴다. 눈물이 그렁그렁하던 신애의 얼굴이 유리창에 얼비친다. 앉은 채로 잠이 든 여행자는 이내 깊은 잠에 빠져들었다. 암자에 붙박인 스님 손등에 흉터가 있던가요? 오른쪽 턱 선에서 까만 점을 봤나요? 하마터면 부질없는 말을 쏟을 뻔했다. 어디선가 수탉이 목청을 돋운다. 새벽 네 시, 예불 시간이다. 변 기자는 정진을 마친 행자들의 표정을 잘 거두었는가. 다시 유리창으로 눈길을 돌린다. 뜻밖에 낯익은 사내의 눈총이 나를 응시한다. 따갑다. 청기와 암자를 찾아가는 내 모습이 유리창 밖에서 서성거린다. 형은 신애를 만났다고 말한 적이 결코 없다. 온몸에 땀이 축축하게 밴다. 내 머릿속은 온통 부부대처승 모습으로 꽉 차 있다. 나는 길게 숨을 토하다가 그만 도리머리를 한다. 잠시 망각하고 있었다. 큰일이다. 행자 교육원의 원고를 어떻게 정리해야 하는가. 머릿속이 캄캄하다. 잠든 여행자는 이제 행자가 아니다. 지금 환속의 기로에 서 있다. 이미 출가를 떠났으니 세속인이다. 당연히 원고에서 거론할 수 없다. 그런데 청기와 암자 스님들은 출가를 한 것인가, 환속을 한 것인가. 출가와 환속, 그리고 다시 출가. 두 세계를 거뜬하게 왕래한 그 스님을 취재하면 어떨까. 출가보다는 차라리 '환속'이라는 제명으로 원고를 쓰고 싶다. 편집부장이 펄펄 뛸지라도 밀고나갈 수밖에 없다. '출가'에 못지않게 '환속'도 또 다른 구도자의 길임을 피력하는 거다. 취재 공간이 행자 교육원에서 청기와 암자로 바뀌었다는 게 문제다. 물론 초고속 취재도 만만찮다.

나는 발소리를 죽이며 조심조심 방을 나온다. 특집 원고를 내 단독으로 기획해 펼쳐나가야 한다. 빈손에 힘이 들어간다. ⚘

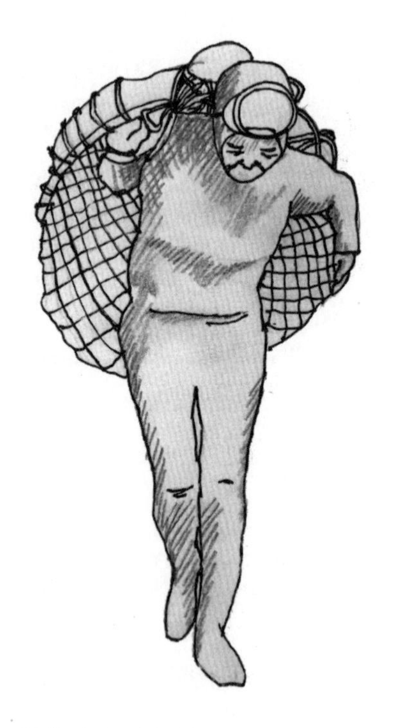

어디선가 가느다란 휘파람 소리가 났다. 숨비소리야. 물질을 하는 우리 엄마가 내뿜는.
그녀는 고도의 집중력을 보였다. 다솜이의 표정도 꼬마 철학자라도 되는 듯 진지했다

숨비소리

숨비소리

도대체 여기가 어디인가. 스산한 기운이 한껏 휘돈다. 사람의 그림자 한 점 없는 고적함에 마음이 더 휘휘하다. 준형은 한없이 낯선 한겨울 바닷가에서 서성거린다. 죄다 잊고 싶다. 그저 잠깐이라도 머릿속을 텅 비우고 싶다. 더는 답답함을 달랠 길 없어, 집으로 가던 중에 그만 차선을 이탈했다. 먼 길을 숨 가쁘게 달려 왔는데, 오산이었다. 아내는 아예 다솜이의 얼굴을 보려고도 하지 않았다. 다솜이를 잊은 척, 아니 잊어버린 게 확실했다. 도저히 있을 수 없는 일이다. 다솜이가 어디 여느 아이들과 같은가. 여섯 살이지만 결코 여섯 살배기라고 할 수 없는 아이다. 발육이 한참 더딘 것은 물론, 지능이 돌배기 수준에 묶여 있다.

다솜이는 혼자 아반떼 뒷자리에서 곤히 잠들어 있다. 아반떼는 해수욕장 입구 공터에 주차해 놓았다. 그는 어깨를 잔뜩 움츠리고 모래사장을 향해 걸어간다. 한 발 한 발이 더없이 묵지근하다. 마치 발목에 모래주머니라도 착용한 듯하다. 저 멀리 아스라이 바다가 눈에 들어온다. 바다는 항상 큰 파도를 깊숙이 감추고 있다. 큰 파도는 또 잔물결을 감추고 잔물결은 또……. 그는 지그시 눈을 감는다. 먼 바다가 저 혼자 꿈틀거린다. 파도가 출렁출렁 넘실댄다. 한순간, 너울이 치솟고 바람이 분다. 바람을 업은 풍랑이 기습적으로 그에게 달려든다. 자기도 모르게 눈을 번쩍 뜬다. 몸이 기우뚱거린다. 그는 세차게 도리머리를 하고서 먼 바다를 주시한다. 바다는 좀 전보다 더 멀어진 것 같다.

모래사장에 발이 푹푹 빠지면서 하염없이 모래알이 눈에 밟힌다. 문득 모래사장보다 더 삭막한 사막이 떠오른다. 그는 금세 사막을 걸어간다. 휘몰아치는 황량한 모래바람, 이글이글 타오르는 해. 그는 홀로 사투를 벌인다. 메마른 목울대를 타고 가쁜 숨이 올라온다. 사막은 더는 나아갈 길이 없는, 막막한 세상의 표상이다. 양 주먹으로 앙가슴을 친다. 칼날 같은 바람 한 줄기가 정수리를 치고 달아난다. 고개를 외로 꺾는다. 바람은 용케도 선회하며 얼굴을 할퀸다. 그는 고개를 꼿꼿이 세우고 정면을 주시한다. 걸음에 속도가 붙는데, 시야가 뿌옇다. 한 무더기의 모래가 공중에 흩날린다. 뿌연 시야 속에 한 사람의 실루엣이 희미하게 드러난다. 긴 머리를 뒤로 질끈 묶은 호리호리한 여자, 아내 진희다. 그는 그만 모래를 냅다 걷어차며 거칠게 손사래를 친다. 먼 바다를 향해 시선을 돌린다. 바다의 형상은 아직도 불분명하다. 너무 멀찍이 나가 있다. 좀 전에 대면한 그녀도 너무 멀리 떠나버렸다. 사실 물리적인 거리는 별 의미가 없다. 마음자리가 그렇게 멀리 달아난 것이 문제다. 그가 한 줌 기대 없이 그녀를 찾아왔다면, 그건 명백한 거짓이다. 어쨌든 3개월만의 해후가 물거품으로 끝났다. 그녀의 철옹성 같은 벽을 뚫을 수 없었다. 속절없이 밀려났다. 쓸데없이 그녀의 냉랭한 마음만 재확인했다. 한 마디로 서로의 간극을 좁히기는커녕 더 벌려놓고 말았다. 그는 그녀의 가출을 너무 가볍게 치부했다. 며칠 뒤에 그냥 돌아오리라는 생각뿐이었다. 그 동안 그가 시시콜콜 발품을 팔았던 일 따위는 급조한 각본이었다. 그래서 순전히 주먹구구식이었다. 그가 그 각본에 완전히 지쳐 있을 때, 그녀의 소식을 전해 들었다.

엊그제 늦은 밤이었다. 친구 동현이 전화를 했다. 딸기 요플레를 떠먹인다, 자장가를 불러준다, 한바탕 법석을 떨다가 겨우 다솜이를 재운 직후였다. 다솜이 엄마와 딱 마주쳤다니깐. 우리 두 집 똘똘 뭉쳐 안면도 갔잖아? 학암포, 생각나냐? 그때 점심 했던 '길손 횟집'에 있더라니깐. 암말 말고 빨랑 가서 싹싹 빌어. 그는 휴대폰을 손에 쥔 채로 멍하니 천장을 쳐다보았다. 무색 천장에서 그녀가 깔깔 웃고 있었다. 서서히 정신이 깨어나면서 가슴이 치받았다. 뒷골이 당기고 혀끝이 바짝바짝 타들어 갔다. 당장 쫓아가 상판이라도 보아야만 직성이 풀릴 것 같았다. 일단 주방으로 갔다. 개수대 수도꼭지에 달 듯 말 듯 입술을 대고 수돗물을 벌컥벌컥 들이켰다. 역부족이었다. 욕실로 달렸다. 샤워기 아래 서서 찬물을 한바탕 뒤집어썼다. 부글거리던 심사가 약간 가라앉는 듯했다. 빼꼼히 열린 방문 틈으로 다솜이가 보였다. 더없이 평온한 얼굴로 새근새근 깊은 잠에 빠져 있었다. 그는 두 손을 깍지 끼고 힘을 주었다. 따다닥, 뼈마디 부딪치는 소리가 났다. 그녀가 부재하는 한, 아무리 머리를 쥐어짜도 길이 보이지 않았다. 수단 방법을 가릴 계제가 아님을 이미 체득했다. 그녀가 별을 원한다면 로켓이라도 훔쳐 타고 하늘로 날아야 했다.

기억을 더듬어 '길손 횟집'에 이르렀다. 기억이 새로웠다. 여전했다. 울타리를 대신한 화단에는 까무잡잡한 현무암들이 즐비하고, 한쪽으로 푸르른 바다가 보였다. 잠에 푹 빠진 다솜이는 시동을 꺼도 요지부동이었다. 깨워야 하나, 잠시 우물쭈물 망설였다. 차문을 열고 혼자만 슬며시 빠져나왔다. 다솜이가 워낙 잠투정이 고약해 지레 겁이 났다. 횟집 유리문을 잡아당겼다. 후끈한 온기 탓인지, 음식 냄새가 유난히 심했다. 테이블마다 사람들이 북적거렸다. 대부분이 가족 팀들로 보였다, 일요일 점심 시간대의 고무적인 풍경이었다. 그는 가까스로 한쪽 구석에 자리를 잡고 우럭 매운탕을 주문했다. 테이블에 놓인 목이 잘록한 물병을 들었다. 한 모금 목을 축이고 고개를 드는 찰나였다. 그녀의 놀란 눈이 그의 눈과 부딪쳤다. 그는 하마터면 물 컵을 떨어뜨릴 뻔했다. 그녀가 움찔거렸다. 그녀는 대각선 방향 저쪽에서 테이블 사이를 빠져나오던 중이었다. 두 손으로 커다란 쟁반을 올려들고 있었다. 참 낯설었다. 그뿐만이 아니었다. 확 달라진 외모가 영 눈에 거슬렸다. 귀 밑에 바짝 붙은 짧은 머리, 몸에 꼭 끼는 쫄 바지와 면 티. 그녀는 주방 쪽으로 종종걸음을 쳤다. 그는 배가 썰썰한데도 숟가락질이 마냥 굼떴다. 매운탕을 붙들고 쩔쩔맸다. 실제로 진땀이 났다. 손님들이 썰물처럼 빠져나가고 그 혼자만 자리를 지켰다. 그녀가 다가와 입술을 반지르르 달싹였다. 나, 줏대 있는 여자야. 제발 아무 말 하지 말고 그냥 돌아가 줘. 그리고 다시는 헛걸음하지 마. 비아냥거리는 말씨가 역력했다. 고깝기 짝이 없었다. 무슨 말을 그 따위로 해? 다솜이가 궁금하지도 않아? 불쌍하지도 않냐구! 그녀는 눈을 내리깔더니 순간적으로 도끼눈을 그렸다. 다솜이 얘긴 꺼내지도 마. 유능한 아빠가 어련히 잘 보살필까. 뭐? 니 니가 그러고도 엄마야? 멋모르고 달려온 내가 어리보기 바보 천치다. 이젠 정말 끝이야, 끝! 그는 제 정신이 아니었다. 아니 정신을 바짝 차렸다. 오물을 한 바가지 뒤집어 쓴 듯한 모멸감에 자리를 박차고 나왔다. 보는 눈들이 없었다면 그처럼 조용히 돌아서지 않았을 터다.

그는 발끝을 내려다본다. 자꾸 가슴이 오그라든다. 그게 다 무슨 대수라고. 한 푼 가치도 없는 자존심과 불뚝성이 일을 그르치고 말았다. 후회막급이다. 바다에라도 풍덩 뛰어들고 싶다. 아직도 먼 바다는 희끄무레하다.

바람이 한층 더 날을 세우고 덤벼든다. 뒤돌아서서 파카 모자를 단단히 여미고 뒷걸음질을 한다. 아반떼를 주차해 둔 곳과 상당히 거리가 멀어졌다. 아반떼는 보이지 않는다. 병풍처럼 늘어선 소나무 방풍림은 눈에 들어온다. 방풍림 너머에는 바람이 휘몰아치지 않을 것이다. 방풍림…… 그렇다. 그녀는 집안의 방풍림이었다. 방풍림이 사라진 빈집은 하루하루가 아슬아슬했다. 소용돌이치는 돌풍을 막아내고 다독일 방법이 없었다. 그는 담배 한 개비를 꺼내 물고 라이터를 켠다. 손 바람막이를 하고서야 겨우 불을 붙인다. 그는 눈을 끄먹거리며 폐부 깊숙이 빨아들인 연기를 내뿜는다. 연기는 허공 속으로 가뭇없이 스러진다. 집을 나설 때의 궁리나 각오도 담배 연기처럼 다 날아가 버렸다. 그는 입을 앙다물고 텅 빈 허공을 쳐다본다. 눈이 시리다. 자칫 발을 헛디뎌 넘어질 뻔했다. 뒷걸음질이 쉽지 않다. 다시 몸을 바다를 향해 돌린다. 바람에 모자가 훌쩍 뒤로 넘어간다. 역시 등을 두드리던 바람과는 차원이 다르다. 저만치 2시 방향으로 야트막한 동산 모형의 섬이 보인다. 무인도 같은 느낌이다. 섬 전체가 울창한 숲이다. 그러고 보니 섬은 바닥이 드러난 바닷길에 연결되어 있다. 지금이 썰물 때여서 나타난 한시적인 특별한 바닷길이다. 뜬금없이 가슴이 두근거린다. 가슴을 쫙 펴고 한바탕 달려보고 싶다. 문득 단거리 최고 선수인 우사인 볼트가 떠오른다. 그의 안면에 야릇한 미소가 번진다. 그는 팔을 힘차게 흔들며 냅다 달리기 시작한다.

울퉁불퉁한 바닷길은 자연의 냄새가 풀풀 난다. 물웅덩이가 군데군데 파이고, 크고 작은 돌멩이들이 들쑥날쑥 제멋대로다. 거칠고 투박한 이 길에 비하면 모래사장은 매끈한 아스팔트였다. 바람은 점점 더 맹렬한 기세로 포효한다. 날카로운 금속성 소리에 고막이 터질 것 같다. 바닷길의 끄트머리가 아슴푸레 눈에 잡히는데도 거리는 좀처럼 좁혀지지 않는다. 조바심이 인다. 바람을 피해 눈을 감다시피 뜨고 발을 더 재게 놀린다. 시야가 좁아진다. 난데없이 한 사내가 시야를 비집고 들어온다. 비척비척 걷는 폼이 괜히 불쾌하다. 그의 걸음을 교란시키려는 방해꾼의 태도다. 또한 투명인간처럼 신출귀몰한다. 시야가 어지럽다. 그는 낙오자가 되기 싫다. 아니 사내에게 질세라 있는 힘을 다해 전진한다. 언뜻 사내의 구부정한 어깨선이 눈에 띈다. 친밀감이 밀려든다. 사내는 그저 짓눌리고 찌든 외롭고 연약한 인간의 전형이다. 문득 그는 모호한 느낌에 빠진다. 사내가 자기처럼 여겨지고, 자기가 사내처럼 생각된다. 그는 보폭을 크게 하면서 사내의 곁을 스친다. 사내가 휘청거린다. 금방이라도 거꾸러질 것 같다. 그는 걸싸게 사내를 향해 양 팔을 뻗는다. 팔은 맥없이 허공을 휘젓는다.

사내가 없다. 사내가 홀연히 사라진 자리에 매운바람만 맴돈다. 다시 걸음을 재촉한다. 몇 발짝을 떼다 말고 사방을 휘둘러본다. 아무도 없다. 그런데 뭔가가 미심쩍다. 사내와 나란히 어깨를 겯고 있다는 느낌이 지워지지 않는다. 그는 그만 제자리에 서서 두 눈을 질끈 감는다. 먼먼 옛날의 한때가 파노라마처럼 눈앞에 펼쳐진다. 바닷길 추억이다.

그는 난생 처음 승용차를 구입했다. 바로 지금까지 끌고 다니는 아반떼다. 어렵게 회생한 그녀에게 즐거움, 기쁨, 행복을 심어주는 차원에서 차가 필요했다. 그 동안 그녀는 몹시 힘들었다. 몸의 병마가 마음까지 송두리째 무너뜨린 상태였다. 아반떼는 제부도 바닷길을 경쾌하게 달렸다. 머리에 정월 대보름의 꽉 찬 달을 산뜻하게 인 채로. 제부도는 거대한 입석이 압권이었다. 그들은 입석을 에워싸고 있는 사람들 틈에 파고들었다. 사람들이 스스럼없이 나서서 바위에 발을 올리기 시작했다. 그녀가 용감하게 그들에 가세했다. 그보다 먼저 바위의 경사면에 발을 올렸다. 그녀는 바위 이끼가 되어 바위에 착 달라붙었다. 교교한 달빛이 그녀의 전신을 쓸어내렸다. 그는 뒤늦게 달빛을 등에 업고 허겁지겁 그녀를 포옹했다. 먼발치에서 찰싹찰싹 파도가 부서지는 소리가 들려왔다. 파도가 힘차게 몸을 뒤척이고 있었다. 사랑을 응원하는, 사랑의 음악이었다. 사랑의 불길은 밤새 파도를 타고 뜨겁게 타올랐다. 다솜이는 그렇게 파도를 타고 그들에게 왔다. 그는 결코 혼자가 아니었다.

그는 홀로 터덜터덜 바닷길을 걸어간다. 몸은 거친 바람에 무감각해졌으나, 그녀에 대한 생각은 꼬리를 물고 그를 옭아맨다. 횟집에서 부딪힌 그녀의 눈초리가 생생하다. 아무리 생각해도 이가 갈린다. 니가 사람이야? 엄마야? 에이, 지독한 년! 모진 년! 그는 그녀가 눈앞에 알짱거리는 양, 눈알을 굴리며 폭언을 한다. 아버버……. 뜻밖에 잔약한 목소리가 화답한다. 그는 화들짝 놀라 발을 멈춘다. 틀림없는 다솜이의 목소리다. 아아, 그는 오던 길을 되짚어 허둥지둥 내달린다. 첨벙첨벙, 발을 내딛을 때마다 바닥에 고인 짠물이 얼굴로 튄다. 바닷길을 벗어나자 어김없이 퍅퍅한 모래사장이다. 아까보다 발이 더 깊이 푹푹 들어간다. 니가 아빠냐? 스스로에게 힐문한다. 차 안에서 잠든 다솜이를 까맣게 잊어버리다니. 다솜이는 수면만으로도 다른 아이들과 차별이 된다. 낮잠만 보아도 그렇다. 시체잠 아니면 풋잠인데, 풋잠이 들면 정말 곤혹스럽다. 자고 깨기를 수없이 반복하면서 깨기만 하면 칭얼대기 일쑤다. 오늘은 다행히 시체잠이 들었다. 그리고 이제야 잠에서 깨어났다. 한꺼번에 이런저런 생각들이 요동친다. 행여 울다 지쳤는가. 차 밖으로 나왔는가. 바람에 나동그라졌는가. 소나무 사이를 헤매는가. 아니 나오기는커녕 차 안에서 버둥대는가. 갇혔다는 공포감에 발작을 일으켰는가.

아반떼 뒷문 손잡이를 와락 잡아당긴다. 아, 그는 절로 안도의 숨을 몰아쉰다. 거친 그의 숨소리에 보드라운 다솜이의 숨소리가 얹힌다. 그는 다솜이를 덥석 껴안는다. 솜털 같은 볼의 감촉. 그런데 길고 숱 많은 다솜이의 속눈썹이 촉촉하다. 엄마와 헤어지는 꿈이라도 꾸었는가. 그만 온몸에 전율이 인다.

다솜이는 늘 그의 관심 밖에서 떠돌았다. 그녀에게 엇나가는 심보, 그 불똥은 으레 다솜이에게 떨어졌다. 과잉보호도 유분수지, 그녀는 눈엣가시처럼 그를 자극했다. 유리그릇 다루듯, 수위를 넘어 나대며 싸고도는 짓거리는 병적이었다. 집착이었다. 역겨웠다. 그는 어리석었다. 이따금 헷갈렸다. 정말 다솜이가 부족한 아이인가? 다솜이의 장애를 인정하지 않으려고 했다. 얼토당토하지 않은, 왜곡된 마음이었다. 오죽하면 그녀가 다솜이 면전에서 악다구니를 질렀을까. 뭐 말라비틀어진 자존심이야? 무관심에 대한 변명치곤 너무 허술하네. 잘 듣고 머리에 문신으로 꼭꼭 새겨. 뇌성마비에 자폐증까지 보태진 아이가 불쌍한 우리 다솜이라구!

다솜이는 탯줄을 끊고 독립하던 순간부터 남달랐다. 가슴이 철렁했다. 사지를 버둥거리고 울기는커녕 얌전히 널브러졌다. 심장은 뛰는가? 그는 다솜이의 가슴팍에 귀를 바투 붙였다. 양수가 미끈거렸다. 의사의 가라앉은 음성이 그의 뒤통수를 쳤다. 아무래도 잘못된 성싶습니다만……. 뭐라구요? 분명히 심장 소리가 들렸단 말입니다. 만약 아기가 잘못되면,

내가 당신을…… 이 병원, 콱 엎어버릴 거요! 아, 아닙니다. 제발 살려주세요. 꼭 좀 살려주시란 말입니다. 그는 혼백이 나간 사람 모양, 횡설수설했다. 움켜잡은 의사의 멱살을 놓고 두 손을 비비대며 부들부들 떨었다. 의사가 말한 '잘못'을 생명이 끊어졌다는 의미로 곡해했다. 장시간의 진통이었다. 산모와 아기가 지칠 대로 지쳐 뇌 손상을 초래했다는 진단이었다. 명백한 의료 사고였다. 산모가 제아무리 자연분만을 고집했어도 급박한 상황 대처에 미흡했다. 제왕절개만 시도했더라도……. 또한 당시에 의사의 말을 제대로 이해했다면 어땠을까. 그처럼 혼신을 다해 애걸복걸했을까. 아니다. 의사와 공모해 끔찍한 일을 벌였을지도 몰랐다. 탯줄에 매달린 핏덩이가 뻣뻣하게 굳어 있는 환영. 그 망상이 시시때때로 그를 옭아맸다. 뒷목이 선득거렸다.

다솜이는 해가 지날수록 상태가 부쩍 악화되었다. 비정상적인 뇌 성숙으로 뇌의 구조 발달에 결함까지 나타났다. 그렇다고 완전히 절망적은 아니었다. 아직 숟가락질은 못해도 발을 떼었다. 지난해의 일이다. 네 살 때에 겨우 의자를 잡고 일어섰으니, 대단한 성장이었다. 너무 신통방통해. 혼자 버젓이 걸음마를 했다니깐. 이젠 고지가, 에베레스트가 바로 코앞이다, 그지? 휴대폰 속에서 그녀의 콧소리가 풀풀 날렸다. '섰다 앉았다'를 거침없이 한다면서 몇 번이나 수선을 떤 직후였다. 호들갑도 정도껏 떨어. 제발, 다신 전화하지 마! 고객이 한창 몰리는 시간대였다. 그래도 참아야 했다. 그녀의 고달픈 모성에 모처럼 힘을 실어줄 호기였다. 다솜이는 월화수목 나흘간 장애아 학교에 다녔다. 버스를 두 번이나 갈아타는 거리였다. 또래들과 자주 어울려야 해. 성장의 지름길이니까. 그녀의 확고한 지론이었다. 주말은 주말대로 더 분주했다. 그녀는 자칭 만능 교사였다. 최고 실력은 이야기 시간에 발휘되었다. 쉴 새 없이 조잘거렸다. 전래동화, 우화, 우주 공상, 동식물, 요리 등등을. 다솜이의 반응은 늘 시큰둥했다. 그때나 지금이나 정말 의문이다. 과연 그런 간접 경험이 다솜이의 의식세계를 넓혔는가. 그녀의 일거리는 무궁무진했다. 다솜이는 설상가상으로 뇌 손상에 후두 마비까지 동반했다. 지금도 걸쭉한 유동식을 먹고 있다. 떠먹이는 일은 둘째고 음식 조리만도 버거웠다. 비타민, 칼슘, 단백질, 탄수화물 등을 골고루 일정하게 섭취해야 했다. 그녀의 일상은 뫼비우스의 띠였다. 그리고 잠자리 운동! 그녀가 미소를 지으며 설명했다. 운동의 최고봉이지. 모든 신경 조직에 산소가 원활하게 공급된다구. 일명 호흡 강화 운동인 잠자리 운동이었다. 모녀는 반드시 마주보고 섰다. 다솜이가 서지 못한 때에는 앉아서 했다. 당신도 해 봐. 숨을 최대한 깊게 들이쉬었다가 일단 멈춰. 그리고 아주 천천히 조금씩 내뿜는 거야. 어디선가 가느다란 휘파람 소리가 났다. 모녀의 입술이 쫑긋, 앞으로 나와 있었다. 어때, 소리 들었어? 숨비소리야. 물질을 하는 우리 엄마가 내뿜는.

지극히 단순한 숨쉬기 운동이었다. 그녀는 고도의 집중력을 보였다. 다솜이의 표정도 꼬마 철학자라도 되는 듯 진지했다. 한 번, 두 번, 세 번…… 모녀는 반복의 귀재였다. 그때의 집안 분위기는 더없이 평화로웠다. 아늑한 보금자리, 힘이 깃든 안락함……. 아무튼 그녀는 오달졌다. 한번은 다솜이를 껴안다가 그녀에게 벼락을 맞았다. 다솜이가 무릎이 닳도록 온 집안을 기어 다닐 때였다. 일요일 오후, 소파에서 티브이를 보다가 잠깐 졸았다. 비몽사몽간에 얼굴이 자꾸 스멀거렸다. 눈을 비비대다가 번쩍 떴다. 손이 내 턱밑에 있는 다솜이와 눈이 마주쳤다. 다솜이가 놀란 눈으로 휙 몸을 틀어 손발을 쉬지 않고 움직였다. 정수리에 질끈 묶은 머리가 손발에 맞춰 달랑거렸다. 그 귀여운 뒷모습이라니. 다솜아! 그는 다솜이를 덥석 안았다. 토실토실한 볼에 마구 입술을 비비었다. 다솜이가 낑낑거렸다. 그는 팔에 더 힘을 주었다. 다솜이도 지지 않고 빠져나가려고 용을 썼다. 베란다에서 빨래를 널던 그녀가 달려와 다솜이를 빼앗았다. 애가 놀랬잖아? 평소에 좀 안아줬어야지. 불쌍한 우리 다솜이, 완치시킬 약도 없고. 그래서 누누이 교육뿐이라고 했잖아. 최고의 교육의 뭔지 알아? 진정한 사랑, 진정한 사랑이라구. 진정한 사랑? 흥! 그는 콧방귀로 일갈했다. 그에게도 그 사랑에 대한 확신과 자부심으로 버티던 때가 있었다.

열애 시절이었다. 땅거미가 깔리는 시각, 요란한 천둥소리가 마른하늘을 갈랐다. 수순대로 그 다음은 번개였다. 주방의 손바닥만 한 창으로 날카로운 빛이 번쩍였다. 그녀의 원룸 주방은 비좁았다. 혼자 있어도 부자유스러웠다. 그가 돌아서고, 그녀는 막 들어서는 찰나였다. 그의 손과 그녀의 어깨가 맞부딪쳤다. 공처럼 둥근 커피주전자의 손잡이가 그의 손에서 빠져버렸다. 펄펄 끓은 물이 일순간에 쏟아졌다. 그녀의 외마디 비명……. 한순간의 사고였다. 냉동실 얼음 통은 텅 비어 있었다. 개수대에 그녀의 한쪽 어깨를 디밀고 수돗물을 분사했다. 금세 어깨와 팔이 벌겋게 변색되어갔다. 응급실로 내달렸다. 가장 심한 부위는 어깨부터 팔꿈치를 지나 팔목 사이였다. 시초부터 결말까지 그가 주범이요, 원흉이었다. 수영을 마치고 떡볶이와 어묵 정도 오물거리다가 헤어져야 했다. 그녀는 물개 반 강사, 그는 수강생이었다. 은행 동료들과 함께 은행 근처의 체육관에 다닌 지, 1년이었다. 365일 유영하는 날렵한 팔은 순식간에 수포로 뒤덮였다. 심부 2도 화상이었다. 매일 반복되는 드레싱, 에탄 알코올에 절은 투병 생활이 시작되었다. 심리적 스트레스는 뒷전이었다. 극심한 통증이 그녀의 뇌를 갉아댔다. 차라리 죽는 게 나아. 염라대왕은 어디 갔어? 그녀는 눈을 가물거리며 몸부림쳤다. 얼핏 정신이 들면 또 전혀 다른 사람이 되었다. 숙지근한 태도로 저어하는 마음을 내비쳤다. 죽으면 어떡해? 왜 고통 없이 못 살까? 그의 코 밑에 두 손을 비비대며 눈물을 쏟곤 했다. 그때의 그는 그녀의 목숨을 쥐락펴락하는 절대자였다. 그는 진심으로 바랐다. 그녀가 그를 원망하고 질타하고 욕설도 내뱉기를. 아니다. 진심으로 기적을 기원했다. 그녀 안팎의 모든 상처가 그에게 고스란히 옮겨오기를. 그의 고통을 그녀가 대신하고 있다는 생각뿐이었다. 아무것도 하지 못하는 스스로가 너무 바끄러웠다. 조금만 더 참자. 이 고비만 넘기면 돼. 그래도 관절부위 조직이 무사한 게 얼마나 다행이야? 그녀를 위로하는 말은 곧 자기에게 하는 말이기도 했다. 다 필요 없어. 못 참아. 이 팔을 잘라버릴 거야. 뭐? 몰라, 몰라. 메스 좀 갖다 주라. 그날도 결국 신경안정제가 필요했다. 데파스 한 알과 물컵을 내미는데, 돌연 그녀가 물 컵을 세게 밀쳐버렸다. 유리컵이 날카로운 소음을 냈다. 유리 파편이 사방으로 튀었다. 나가! 다 꼴 보기 싫어! 그녀의 새된 소리가 쩡쩡 울렸다. 고꾸라지려던 그가 애써 중심을 잡았다. 그녀는 침대 사이드레일에 기대고 섰다가 그만 비척거렸다. 그는 그녀를 부축하지 않았다. 대신, 그녀의 뺨을 잽싸게 후려쳤다. 발치에 놓인 무릎 담요 위로 그녀가 풀썩 엎어졌다. 8인 병실이었다. 일순간 모두가 숨을 죽였다. 적막감 속에서 누군가가 그녀를 일으켜 침대에 눕혔다.

그는 작정하고 나섰다. 24시간을 오직 직장과 병실만 넘나들었다. 한 달 뒤, 퇴원 날짜가 잡히고 마침내 칭칭 감겼던 붕대가 풀렸다. 순간 그녀의 눈동자가 초점을 잃고 흔들거렸다.

흉터로 얼룩진 팔은 한눈에도 흉물스러웠다. 칙칙한 피부색, 엉키고 당긴 울퉁불퉁한 피부의 결. 흉터는 그 자체가 끔찍한 외상이었다. 그녀는 그 동안 수포, 진물, 딱지, 그리고 흉터까지의 전 과정을 시시콜콜 지켜보았다. 그렇게 내심 기적을 꿈꾸고 있는 줄은 몰랐다. 마음이 찐하고 가슴이 한없이 오싹거렸다.

내 사전에 수영복은 없어. 그녀는 방에 들어서자마자 옷장을 뒤엎었다. 수영복은 물론 긴팔 외의 상의는 전부 헌옷 함에 내동댕이쳤다. 밝고 상냥하며 부닐던 그녀는 죽었다. 번아웃 증후군(Burn-out Syndrome)을 앓는 그녀만 살았다. 그녀는 두문불출하면서 말과 표정을 잃어갔다. 몸피마저 쏙쏙 줄어들었다. 그는 짐을 챙겨들고 그녀의 원룸에 입성했다. 그녀의 부활이 곧 그의 부활이었다. 사랑의 힘을 믿었다. 진정한 사랑의 힘을.

어느 날, 퇴근길에 메밀국수집에 들렀다. 그녀는 워낙 메밀국수라면 자다가도 벌떡 일어났다. 여주인은 1회용 용기에 담긴 메밀국수를 건네면서 귀띔했다. 10분이 한계예요. 시간 지나면 불어서 맛없어요. 현관문 손잡이를 잡은 손이 땀으로 미끄럼을 탔다. 그녀는 음악이 흘러나오는 오디오 앞에 오롯이 앉아있었다. 메밀국수야. 한쪽 눈을 찡긋하는데, 입 안에 침이 고였다. 서둘러 냉장고에서 배추김치까지 꺼내어 식탁을 차렸다. 그녀는 제자리에서 꿈쩍도 하지 않았다. 돈데 보이 돈데 보이……. 기타 반주에 따른 여가수의 목소리에 그녀의 목소리가 끼어들었다. 뜻밖의 청아한 음색에 그는 깜짝 놀랐다. 의외였다. 아름다운 듀엣이 이루어졌다. 비록 가사의 내용은 모르지만 곡의 정조가 지극히 처연했다. 가슴이 시려왔다. 노래가 끝나고 그녀가 울먹거렸다. 말없이 지칫지칫 다가오는 그녀의 손에 젓가락을 쥐어주었다. 그녀는 퉁퉁 불은 국수 가락을 젓가락에 걸쳤다.

그녀는 좀처럼 기운이 호전되지 않았다. 점점 더 눈빛은 까칠해지고 피부는 버석거렸다. 건조한 사막의 식물을 닮아갔다. 치유하는 데에는 수분이 절실했다. 첨벙! 다이빙하듯 물속에 입수하던 그녀의 모습이 아른거렸다. 우리 수영장에 가보자. 가운 걸쳤다가 입수하기 직전에 벗으면 되잖아? 미쳤어? 그럼, 바다로 가자. 그 말을 바로 해야 했는데. 왜 그때, 바다를 떠올리지 못했던가. 바다는 실로 오랜 동안 그녀가 뒹굴던 놀이터였다. 더군다나 그녀는 잠수를 얼마나 좋아했던가. 나도 엄마처럼 잠수해서 전복이랑 멍게랑 따는 게 꿈이었어. 수영장에서도 그녀는 걸핏하면 물속에서 그의 발을 간질이곤 했다. 그녀가 팔을 감쪽같이 숨기며 충분히 수분을 취할 수 있는 길을 그는 놓쳤다.

무덥고 지루한 계절이 지나갔다. 나뭇잎이 화사하게 물든 청명한 토요일 아침, 모처럼 그녀의 얼굴에 화색이 돌았다. 우리, 공원에 나가보자. 그럴까? 소풍하면 김밥인데……. 그녀는 흔쾌히 동의한 것으로도 부족해 김밥을 들먹이며 당장 김밥거리를 사왔다. 단무지, 햄, 우엉, 오이 달걀 등의 기본적인 재료에 깻잎과 치이즈를 보탰다. 햄에 고추장을 입히는 비법도 공개했다. 공원 벤치에 나란히 앉았다. 그는 김밥을 야금야금 두 줄이나 삼켰다. 상큼하고 달콤하고 구수했다. 아니 그녀와 함께 하는 소풍 자체가 독보적인 맛이었다. 근처 자판기에서 달달한 믹스 커피를 두 잔 뽑았다. 그녀가 종이컵을 비운 뒤, 단풍잎 한 장을 주워들었다. 금세라도 선홍색 물방울이 뚝뚝 떨어질 듯 고왔다. 혹시 여인국이라고 들어 봤어? 그녀가 단풍잎에 시선을 둔 채 입을 열었다. 아마존? 틀렸어. 중국 윈난성 모수오족 마을…… 현재 지구촌의 유일한 모계사회야. 근데 참 재미있는 얘기가 있더라. 그곳에선 여자가 남자와 헤어지고 싶으면 손바닥에 나뭇잎을 한 장 얹어 보인다나? 이렇게 말이야. 그녀는 단풍잎을 손바닥에 얹었다. 단풍잎은 그녀의 손을 덮고도 남았다. 마음이 나뭇잎처럼 가벼워졌다는 뜻이래. 낭만적이지? 퍽도 낭만적이네. 가볍게 응수하던 그의 얼굴이 순간적으로 굳어졌다. 그녀의 싸늘한 눈길을 의식했기 때문이다. 그녀가 몸을 일으켜 휑하니 돌아섰다. 그는 속수무책, 그녀의 뒷모습만 눈으로 좇았다. 아스라이 멀어져가던 그녀가 느닷없이 돌아서서 손을 흔들었다. 좀 전의 그녀가 아니었다. 화려한 오색 옷차림에 구슬을 길게 늘어뜨린 모자를 쓰고 있었다. 모수오족이었다. 그는 허둥지둥 그녀를 좇아갔다. 그녀를 돌려세울 방법은 딱 한 가지밖에 없었다. 흉터제거 수술이었다. 너무 무서워, 절대 못해! 그녀의 거부를 존중, 수용해서는 안 되었다. 상담까지 받은 것은 수술을 갈망한다는 증거였다. 피부를 정리하는 단계라면 국소마취죠. 변형된 피부를 걷어내고 정상적인 피부를 끌어와야 해서…… 엉덩이 쪽 피부를 이용할 겁니다. 전신 마취가 필수적이죠. 그녀는 전신 마취라는 말만 듣고도 사색이 되었다. 몇 년 전, 그녀의 어머니가 자궁적출 수술을 했다. 마취가 늦게 풀려 애를 태웠다. 일반 병실로 온 뒤에도 문제가 따랐다. 열, 두통, 구토 등의 증상으로 뇌수막염 검사까지 받았다. 그 뒤로도 어머니는 걸핏하면 두통과 어지럼증을 호소했다. 기억력이 바닥인 것도 마취 후유증이라고 믿었다. 세상 몹쓸 게 마취다. 수술이 무서운 게 아니라 마취가 무섭다. 그녀는 근거 없는 말을 신봉했다. 그녀의 편견만 깨면 되었다. 그는 그녀를 붙잡고 늘어졌다. 어디 나뭇잎 백 장을 손에 얹어봐. 아니 공원에 있는 나뭇잎을 전부 가져와 봐! 내가 눈 한 번 깜박할 줄 알아? 수술실 앞에서 그가 속삭였다. 나도 똑같이 마취 주사 맞아줘? 첫 수술을 마치고 재수술까지 끝냈다. 울퉁불퉁한 흉터 표면도 상당히 매끄러워지고 가려움증도 완화되었다. 요즘 같으면 레이저로 더 말끔하게 치료했을 터다. 어쨌든 그는 훨훨 나는 기분이었다. 실선라인의 봉합선을 가만히 쓸어내렸다. 어때, 여기에 타투스티커나 붙여볼까? 쌍으로 나도 붙이겠어. 와우, 굿 아이디어! 아냐, 차라리 올드스쿨이 낫겠는데? 그래, 그것도 좋지. 됐네요, 준형 씨! 그녀는 어린 애처럼 깔깔거렸다. 정말 새로 태어난 느낌이야. 새로운 일을 하고 싶어. 마침 수영장 근처의 액세서리 가게가 나왔다. 그녀는 액세서리 가게의 주인이 되었다. 행복해. 그는 그녀의 말에 고무되었다. 진정한 사랑의 길을 걸어왔다는 자부심이 샘솟았다.

그는 다솜이의 얼굴을 물끄러미 바라본다. 참 신통하다. 그의 품에서 이렇듯 평화로운 얼굴로 잠자다니. 아기 천사가 따로 없다. 그는 다솜이를 좌석에 눕히고 담요로 온몸을 감싸듯 덮는다. 금세 모습이 달라 보인다. 애잔하다. 얼굴만 내놓은 채 달랑 혼자 누워 있다는 사실이 언짢다. 가엽다. 진정한 사랑이고 뭐고 다 필요 없다. 아무런 의미가 없다. 고슴도치도 제 새끼는 함함하다고 했다. 그녀는 이제 글렀다. 기대할, 눈곱만큼의 여지가 없다. 아니다. 그게 아니다. 그는 양손으로 얼굴을 감싼다. 얼굴이 화끈 달아오르고 가슴이 울렁거린다. 멀미가 나는 것처럼 속이 메슥거린다. 눈앞에 안개가 번져난다. 머리가 어질어질하다. 한 생각이 머릿속을 맴돈다. 과연 내게 그녀를 몰아붙일 자격이 있는가.

다솜이는 머리 못지않게 몸도 둔하다. 절대적인 운동 부족으로 꾸역꾸역 불어난 살집. 되록거리는 몸집이 보이면, 절로 그의 고개가 외로 꺾였다. 감각도 무딜 만큼 무디다. 걸핏하면 침으로 세수를 하는 통에 얼굴이 침 범벅이었다. 또 떼를 썼다 하면, 괴성에다 나뒹구는 재주까지 겸비했다. 귀염성이 점점 달아났다. 이목구비는 지지리도 못났다. 뒤틀린 입술, 납작한 코, 두툼한 눈두덩, 축 늘어진 볼……. 그렇다고 그가 함부로 위악적인 행위를 저지르면 절대 안 되었다. 입술 비틀기, 코끝 올리기, 귓불 당기기, 허벅지 꼬집기……. 순전히 악령이 부린 농간이었다. 심지어 손끝요법을 한답시고 지압점을 누르다가 슬쩍 손가락을 비틀었다. 따지고 보면 그녀가 원인 제공자다. 손은 제 2의 뇌, 발은 제 2의 심장임을 명심하셔. 그녀는 그가 티브이 앞에 앉았다 하면 꼭 지압 시범을 보였다. 한번은 검지를 꼬집는 시늉만으로 다솜이가 자지러졌다. 그는 제풀에 겨워 이마에 식은땀이 흘렀다. 마침 그녀는 마트에 가고 없었다. 한참을 어르고 달래어 겨우 방에 눕혔다. 그도 다솜이 옆에 벌렁 누웠다. 다솜이의 잔약한 울음소리가 멎고 정적이 감돌았다. 뜬금없이 한 사내가 곡괭이를 움켜잡고 얼쩡거렸다. 사내는 맨땅을 파기 시작했다. 흙무덤이 생기면서 제법 깊은 구덩이가 파였다. 직감이 왔다. 한 구의 주검을 누일 자리였다. 한순간 다솜이가 어른거렸다. 사내가 삐딱하게 고개를 쳐들었다. 야비한 눈빛이 번뜩였다. 아, 누군가가 그를 복제했다. 여기서 벗어나야 해. 눈을 떠야 해. 사람 살려, 사람 살려! 그는 숨을 헐떡거렸다. 사력을 다해 눈꺼풀을 밀어 올렸다. 다솜이의 까만 눈망울이 그를 내려다보고 있었다.

그는 다솜이의 동생을 갈망했다. 심신이 온전한 아이와 함께 놀이기구도 타고 자전거 페달도 밟고…… 자유롭고 싶었다. 평범한 아빠가 되고 싶었다. 다솜이만으로 족해. 그녀는 의외로 단호하고 완강했다. 그는 수컷이었다. 밤마다 호시탐탐 기회를 노렸다. 그녀가 곯아떨어진 새벽녘, 수컷 본능을 제대로 발휘했다. 현행 강간범으로 신고해 줘? 그녀는 입에 거품을 물고 길길이 날뛰었다. 그는 태연히 출근했다가 돌아왔다. 현관에서 구두를 벗는데 그녀가 낑낑거리며 안방에서 기어 나왔다. 그와 눈도 마주치지 않고 사색이 되어 토악질을 해댔다. 사후피임약을 먹었더니……. 그는 뒤꿈치를 힘껏 눌러 다시 구두를 신었다. 밤새 술과 씨름하며 전전긍긍했다. 소위 가출을 한 거였다. 사태의 근본적인 발단은 명백히 다솜이었다. 그때도 그랬고, 또 다른 때에도 그랬다.

도대체 주부 맞아? 다솜이 핑계대지 마! 그는 기어이 폭발하고 말았다. 회사에 입고 나갈 셔츠 한 장, 양말 한 켤레가 없었다. 빨랫감만 세탁기 안에 무더기로 방치되어 있었다. 올밥이 달랑 토스트 두 쪽과 우유 한 컵으로 굳어진 지도 해를 넘겼다. 아침의 분노는 캄캄한 밤까지 이어졌다. 회사에서의 긴장감도 일조를 했다. 모 은행과의 합병설이 사실로 굳어지면서 분위기가 엉망이었다. 회식 자리에서 모두 넙죽넙죽 소주잔을 챙겼다. 그도 질세라 부지런히 가세했다. 술에 전 혀는 평소보다 훨씬 더 공격적이었다. 야, 맨날 다솜이 다솜이……. 아으, 도대체 난, 뭐냐? 빌어먹을 인생……. 야, 근데 아무래도 수상하단 말이야. 그 개새끼, 잘났어. 뭐, 난산으로 뇌가 다쳤다구? 날, 숫제 바보 병신으로 아나? 요즘 의학이 얼마나 무시무시한데……. 씨이, 결국은 다 유전학 아냐? 다솜이도 유전의 문제란 말씀이야. 제법 말이 유기적으로 엮어져갔다. 생뚱맞게 모녀가 하얀 고치 안에서 꿈틀대는 번데기로 보였다. 아니다. 소나무 줄기를 쓱쓱 갉아먹는 징그러운 송충이였다. 다리가 후들거리고 속이 메스꺼웠다. 한 차례 숨을 몰아쉬고 계속 속사포를 날렸다. 깊은 산속 옹달샘……. 우리 허 씨 집안은 옹달샘. 맑디맑은 옹달샘! 당신은 어때? 까발려 보자구. 우리 세대 너머, 저 저 위로 죽 추적해 가잔 말씀. 더러운 피가 존재할 걸? 아으, 제기랄……. 그는 마구 삿대질을 하며 눈알을 굴렸다. 말이면 다야? 도둑이 제 발 저리다는 말이 딱 맞네. 왜 당신 누나가 불타 죽었게? 이게 어디서 우리 누나를 들먹여? 그는 그녀의 정수리를 향해 양껏 주먹을 날렸다. 주먹이 목표물을 빗나갔다. 와락 토악질을 했다. 시척지근한 음식물이 그녀의 머리카락을 타고, 얼굴로 가슴으로 줄줄 흘러내렸다. 그녀는 얼굴을 감싸며 울부짖었다. 아, 답답해. 숨 막혀. 시원하게 숨비소리라도 내봤으면……. 그녀는 입술을 내밀며 숨을 내뿜었다. 그는 숨비소리라는 말에 귀가 번쩍 뜨였다. 술이 확 깼다. 그는 그때에 처음으로 숨비소리라는 말을 귀담아 들었다. 모녀가 숨쉬기를 하면서 내던 소리, 그 맑은 휘파람 소리가 숨비소리였다. 그녀의 창백한 얼굴에 서서히 핏기가 돌았다. 숨비소리가 삶의 징표로 다가왔다. 생명을 이어가는 데 가장 절실한 숨소리로 여겨졌다. 그러면서도 그는 깊숙이 은결든 그녀의 가슴을 보지 못했다. 형광등 불빛이 조용히 명멸하고 있었다.

햇빛이 송곳처럼 날카롭다. 차창유리가 금세라도 와장창 바스러질 듯하다. 다솜이는 고개를 돌려놓은 그 상태 그대로 잔다. 눈을 뜨면 엄마를 찾아 어지간히 보챌 것이다. 벌써부터 암담하다. 아까 그녀를 만난 일이 한바탕 꿈이 아닐까. 일을 염글리려면 좀 더 숙지근하게 얘기해야 했다. 지금은 다솜이 아빠로서 최대한 자중할 자신이 있다. 그녀가 없는 써늘한 집은 상상도 하기 싫다. 구차하고 지리멸렬한 날을 또 다시 맞을 수 없다.

그녀가 떠나고 이틀 밤이 지났다. 무심한 해는 그날 아침에도 재게 떠올랐다. 이틀은 연가를 받았으나, 사흘째는 눈치가 보였다. 베란다 유리문에 '아기 놀이방'이라고 쓰인 집이 생각났다. 꽃, 별, 구름, 나비 등의 알록달록한 스티커도 붙어 있었다. 1층 105호였다. 다솜이에게 화사한 분홍색 원피스를 입혔다. 다솜이를 안고 벨을 눌렀다. 금세 문이 열렸다. 아이들의 재잘대는 말소리와 통통 뛰는 발소리가 새어나왔다. 아이를 맡기시려구요? 앞치마를 입은 젊은 여인이었다. 환한 미소로 다솜이를 흘낏거리더니, 대번에 웃음기가 가셨다. 그는 미적미적 입을 열었다. 오늘 하루만이라도……. 여인이 그의 말을 손사래로 잘랐다. 그리고 또박또박 말했다. 다솜이를 돌보려면 멀쩡한 아이들을 방치해야 한다고. 묘안은 아파트 한 단지에 사는 동현뿐이었다. 그는 후안무치한 사람이었다. 퇴근길에 동현네에 들르기로 한 약속을 파기하고 터덜터덜 집으로 와버렸다. 라면을 끓이고, 냉장고에서 먹다 남은 소주병을 꺼냈다. 소주를 홀짝이는데, 자꾸 벽시계에 시선이 갔다. 열 시에 가까운 시간이었다. 벨소리가 적요를 깨뜨렸다. 그는 후다닥 소주잔을 비우고 현관문을 열었다. 다솜이가 웬 칠순 노파의 품에 얼굴을 파묻고 있었다. 노파는 헬금헬금 그의 눈치를 살피며 씩 웃었다. 두어 개 달아난 앞니와 뽀글뽀글한 파마머리가 왠지 희극적이었다.

일주일이 더디고 더디게 지나갔다. 이제 다솜이는 뽀송뽀송하고 깔끔하지 않았다. 꾀죄죄한 몰골은 그렇다 쳐도, 고약한 지린내가 코를 찔렀다. 욕조에 물을 받아놓고 다솜이의 옷을 벗겼다. 벌겋게 짓무른 사타구니. 그녀의 반반한 상판이 눈앞에 오락가락했다. 버럭 열이 뻗고 부드득 이가 갈렸다. 다솜이가 정상아였다면 저 혼자 나갔을까. 아니 애당초 가출 따위는 그녀의 사전에 없을 터였다. 다솜이를 끌어안고 애면글면하던 모습은 다 가짜요, 거짓이었다. 인터넷을 뒤졌다. 특수교육기관에 새삼 눈이 번쩍 뜨였다.

집에서 가까운 '사랑의 집'을 찾아갔다. 조건이 꽤 까다로웠다. 나이부터 걸림돌이었다. 나이가 덜 찼다는 데에 이의를 제기할 수 없었다. 원거리로 시야를 넓혀갔다. 그만그만한 데를 넘보았지만, 계속 퇴짜만 맞았다. 이런저런 규정들이 다솜이의 발목을 잡았다. 파근파근한 다리를 질질 끌었다. 길 가에 서서 무심히 하늘을 올려다보았다. 유유히 하강하는 매지구름 사이로 그녀의 얼굴이 언뜻언뜻 비쳤다. 흔연한 얼굴로 다솜이를 안고 있었다. 그녀가 매지구름을 빠져나와 두둥실 떠돌았다. 그런데 갑자기 시커먼 구름 한 뭉치가 그녀를 덮쳤다. 그녀의 상체가 휘청거렸다. 그는 허겁지겁 두 팔을 벌렸다. 다솜이가 그의 가슴에 툭 떨어졌다. 그는 쿵쿵 뛰는 다솜이의 심장소리를 들었다.

다솜이가 뒤척거린다. 앙증맞은 손으로 눈두덩을 비비대더니 마침내 눈을 뜬다. 흐릿한 눈이 그를 빤히 바라본다. 턱 밑이 도톰해 목과 턱이 거의 맞닿는다. 다솜이를 꼭 껴안는다. 가슴이 찡해온다. 다솜이는 칭얼대지도 않고 묵묵히 입술을 빤다. 그는 재빨리 가방에서 빨대가 달린 물병을 꺼낸다. 물병을 움켜잡은 다솜이는 빨대를 물고 감빨기 시작한다. 그는 보온병에 담긴 죽을 종이컵에 따른다. 도우미가 끓여준 녹색 야채죽이다. 쌀가루에 브로콜리와 호두를 갈아 넣었다. 서툰 솜씨로 한 숟가락을 뜬다. 다솜이가 불쑥 숟가락을 밀쳐내다가 그만 물병을 떨어뜨린다. 으윽 으, 쥐어짜는 듯한 신음소리가 터진다. 이내 다솜이의 입이 비뚜름하게 한쪽으로 돌아간다. 손목까지 비튼다. 순식간에 차 안은 난장판이 된다. 그는 종이컵을 기어박스 옆 컵 홀더에 놓고 다솜이를 토닥거린다. 다솜이는 몸을 비비꼬면서 뜻 모를 괴성만 질러댄다. 돌연 한 생각이 뇌리를 스친다. 가슴이 서늘해진다. 다솜이를 좌석에 반듯하게 눕힌다. 물에서 건져낸 것처럼 기저귀가 축축하다.

그는 차문을 열고 다솜이의 두 발을 땅에 내려놓는다. 주위는 한껏 스산하기만 하다. 퇴색한 풀잎과 노란색 운동화가 퍽 대조적이다. 그는 다솜이 앞에 쪼그려 앉는다. 다솜이의 양손을 그러잡고 뒷걸음질을 하면서 걸음을 유도한다. 다솜이는 엇박자로 대여섯 발을 따라오다가 그의 배에 코를 박으며 엎어진다. 얼른 다솜이를 안는다. 다솜이의 심장이 그의 심장 위에서 팔딱거린다. 스킨십이 최고인 건 알지? 그 중에서도 허그가 단연 으뜸이래. 그녀는 다솜이를 안고서도 가만히 있지 않았다. 눈, 코, 입술, 이마, 볼, 목, 손 등에 수시로 뽀뽀를 했다. 바람이 그새 잠잠해졌다. 다솜이가 제비 새끼처럼 입을 벌리고 소리를 낸다. 아, 으응……. 제법 발음이 또렷하다. 다솜이는 검지를 세운 두 팔을 모래사장 쪽으로 뻗는다. 웃음이 가득한 눈은 눈망울이 보이지 않을 정도로 가늘다. 그는 좀 전에 걷던 모래사장을 향해 성큼성큼 발을 옮긴다. 다솜이의 두 발이 건들건들, 그의 아랫배를 친다. 한 손으로 다솜이의 두 발을 묶듯이 잡는다. 다솜이가 기를 쓰고 발을 빼낸다. 그는 다솜이를 등 뒤께로 돌려 업는다.

밀물이 시작되고 있다. 조금씩 한 세상을 열어가는 검푸른 바다, 상상만으로도 가슴이 확 트인다. 당신도 봤지? 우리 집에서 시원스레, 시야에 꽉 차 보이던 바다……. 문득 그녀의 속삭임이 귀를 간질인다. 그녀의 체취도 느껴진다. 그는 발을 멈추고 머뭇머뭇한다. 도대체 자신의 향방이 가늠되지 않는다. 바다를 향해 가고 있는가. 바다가 그를 향해 오고 있는가. 혼란스럽다. 슬며시 뒤돌아본다. 모래사장에 찍힌 발자국들이 줄을 잇는다. 그 흔적으로 모래가 푹푹 꺼져 있다. 그녀와의 갈등, 그 앙금이 모래밭의 발자국이라면……. 바람의 힘으로 흔적 없이 지워질 터다. 다시 발을 뗀다. 발을 들어 올릴 때마다 다솜이의 무게가 발을 누른다. 그녀와의 갈등의 무게도 발등을 누른다. 갈등으로 점철된 그날, 그때가 그립다. 적어도 그녀는 내 곁에 있었다.

결혼기념일 아침이었다. 오늘이 무슨 날인지 알지? 일찍 들어와. 그녀는 현관까지 쫓아와 대뜸 그의 입술을 훔쳤다. 달콤한 키스 세례에 불현듯 이탈리아 레스토랑이 떠올랐다. 프로포즈 반지를 끼워주고 음식을 기다리던 중이었다. 그는 자기도 모르게 기습적인 키스를 날리고 히죽 웃었다. 당황하던 그녀도 환히 웃음꽃을 피웠다. 모처럼 둘이서 그 순간을 만끽하고 싶었다. 레드와인으로 목을 축이고 그녀가 좋아하는 봉

골레 파스타를 먹고. 하지만 다솜이를 맡아줄 사람이 없었다. 서두른 퇴근길에 아파트 상가에 들렀다. 초콜릿은 좋아하나 생크림은 싫어하는 그녀. 선택의 여지가 없었다. 한 손에 든 에뚜아르초코 케이크에서는 여섯 개의 초코스타가 반짝이고, 또 한 손에는 이슬을 머금은 장미가 만발했다. 경쾌하게 현관문을 열었다. 그런데 그녀는 아침과는 영 딴판이었다. 무표정한 얼굴로 케이크와 꽃바구니를 거실 한쪽에 제쳐놓았다. 그를 바라보지도 않고 툴툴거렸다. 말과 행동이 무슨 상관이래? 음식을 제 손으로 먹는 아이만 받아 준대나? 말이 돼? 일산에 있는 특수학교에 다녀온 보고서의 서두였다. 거긴 왜 가? 지금 학교로도 충분해. 다 욕심이라구. 뭐? 애가 말하게 된다는데, 그게 욕심이야? 당신도 똑같아. 그 사람들과 한 패야. 그녀의 눈에 광채가 번득였다. 아, 미치겠어. 그녀는 느닷없이 꽃바구니에서 장미를 뽑아 내던지기 시작했다. 꽃잎이 찢어지고 떨어지다 못해 목이 부러진 꽃송이가 거실 바닥에 나뒹굴었다. 그는 발끈했다. 양복 상의를 벗어젖히고 케이크 상자를 걷어찼다. 쭈그러진 상자마저 짓밟다가 자칫 미끄러질 뻔했다. 왜 당신이 미치냐? 내가 미치지. 다솜이와 당신만 생각하면 하루에 골백번도 더 피가 곤두서, 알아? 기대도 정도껏 해. 다 허영심이란 거 몰라? 꿈 깨! 젠장……. 나가! 나가! 당장 없어져버려! 그녀는 실제로 그의 등을 떠밀었다. 그녀가 내쫓지 않아도 뛰쳐나올 판이었다. 아파트 단지의 어둑신한 길을 배회했다. 다솜이 또래 아이들이 쉴 새 없이 그의 곁을 뛰어다녔다. 다들 활달하고 씩씩했다. 포장마차에 앉아 동현을 불러냈다. 첫잔부터 취기가 거침없이 올라왔다.

심한 갈증으로 눈을 떴다. 창밖이 희붐하게 밝아오고 있었다. 그가 깨어나자마자 그녀가 현관에 내려섰다. 제법 무게감이 엿보이는 바퀴 달린 가방도 그녀 손에 끌려 현관을 빠져나갔다. 다솜이는 아직 잠자리에서 쌕쌕거리고 있었다. 그날 밤, 그녀에게 어떤 행각을 했던가. 아무리 머리를 쥐어짜도 옹송망송했다. 문득 '사랑'이라는 말이 떠올랐다. 혹 그 말을 했던가? 사랑한다고? 사랑하지 않는다고? 사랑이 죽었다고? 애초에 사랑 따위는 존재하지 않았다고? 예전엔 사랑이라는 말이 떠오르면 어떤 강렬한 이미지가 동시에 떠올랐다. 빨강, 노랑, 파랑의 삼원색 같은 그 무엇이. 그런데 언제부터였을까, 사랑이 모호한 색체로 변질된 것은. 어떤 색을 대비해야 할는지 막막했다. 텅 빈 현관에서 몸을 돌리는데, 동현과 주고받은 얘기가 징검다리 식으로 띄엄띄엄 기억났다. 우리 다솜이 손 봤냐? 다솜이 엄마의 팔이 아니고? 아냐 인마, 우리 누나 손. 누나라니? 니한테 누나가 어디 있어? 바보 같은 짜식, 우리 누난 다솜이처럼 쭉쭉 손가락이 뻗었어, 인마. 얼굴도 완전 공주고……. 지금도 누나와 어머니만 생각하면 가슴이 먹먹하다. 초등학교 졸업식 전날이었다. 시뻘건 화마가 어머니와 누나가 있던 방을 덮쳤다. 전기 누전이었다. 열여섯 살인 누나와 어머니는 한 몸으로 엉켜 숨이 끊어졌다. 누나와 다솜이는 희한하게 닮았다. 누나도 제대로 말 한 마디 구사하지 못했다. 늘 아장아장 아기처럼 걸었다. 돌배기 때에 뇌막염을 앓았다고 했다. 하지만 영락없이 동화 속 공주의 화신이었다. 화관 대신 꽃 액세서리가 부착된 머리띠를 하고 해맑은 눈동자로 방실거렸다. 이 세상에 누나보다 더 예쁜 소녀는 없었다.

다솜아, 다솜아. 그는 등에 업힌 다솜이를 나직하게 불러본다. 전혀 반응이 없다. 다솜이를 앞으로 돌려 안는다. 또 잠이 들었다. 어쩐지 발이 꼬물거리지 않고 얌전하다 했다. 볼이 얼음장이다. 그는 입김을 불어넣으며 볼을 비비댄다. 다솜이가 약간 몸을 꼬다가 다시 잠잠해진다. 고개를 들어본다. 툭 트인 시야가 가을 하늘을 연상시킨다. 그리고 보니 그녀가 떠난 계절의 하늘도 저처럼 시원스러웠다. 멀리서 바닷물이 능청능청 몰려온다. 설마 밀물이 금방 들어차지는 않을 거였다. 왠지 기분이 풀린다. 오늘 두 번씩이나 바닷길을 걷는다는 게 예사롭지가 않다. 다솜이와 손잡고 한 발 한 발 걸었으면 더 좋으련만. 섬이 바로 지척이다.

마침내 섬에 발을 내딛는다. 소나무 숲이 그와 다솜이를 온몸으로 맞이한다. 예상과는 달리 좀 빈약한 숲이다. 나무들도 듬성듬성하고 솔잎도 해풍 탓인지 칙칙하다. 줄기 또한 볼품이 없다. 솔가지들이 바람을 타고 한쪽으로 쓸린다. 바람의 길을 보니 괜히 몸이 으슬으슬하다. 해가 수평선 아래로 떨어지면 지금보다 훨씬 추울 것이다. 실낱같은 다솜이의 머리칼이 바람에 날린다. 머리칼을 쓸어 올리며 해를 향해 돌아선다. 갑자기 눈이 부시다. 다솜이의 나비머리핀에서 터진 반사광이다. 그녀의 가게에도 늘 빛이 넘쳤다. 눈이 부시다 못해 저절로 감기기 일쑤였다. 빽빽하게 진열된 상품들. 팔찌, 귀걸이, 목걸이, 머리띠, 머리핀, 액자, 보석함 들에는 하나같이 유리 보석이 박혀 있었다. 그는 빛을 피해 가게 밖에서 그녀를 기다리곤 했다. 언젠가 그녀가 종알거렸다. 빛이 싫어? 무서워? 제 것을 아낌없이 모두 내보낼 때 나오는 현상이 바로 빛이래. 나비머리핀뿐 아니라 다솜이의 머리칼도 반짝거린다. 그는 마치 전투하는 투사의 자세로 빛과 마주한다. 빛을 피하고 싶지 않다. 오히려 빛 속으로 들어가고 싶다. 빛을 흠뻑 빨아들이고 싶다. 그때 그들에게는 각자 빛나는, 빛이 있었다. 서로를 향해 반짝이는 것이 분명 있었다.

햇빛이 차츰차츰 움츠려 들기 시작한다. 그의 몸도 덩달아 움츠려든다. 해넘이가 시작되기 전에 돌아가야 한다. 그는 급히 바닷길로 내려선다. 다솜이가 발을 꼼지락거린다. 새삼 팔이 뻐근하다. 새털처럼 가벼운 우리 다솜이……. 낭랑한 그녀의 음성이 노랫가락으로 들려온다. 그녀는 다솜이를 안고 왈츠를 추듯 빙글빙글 돌기도 했다. 그러던 그녀가 여기에 없다. 그녀는 어디에 있는가. 아직도 거기에 있는가. 혹시 다솜이를 애타게 기다리고 있는가. 그럴까. 그럴 것 같다. 아니 확실하다. 어서 빨리 그녀에게 가야 한다. 조급증이 인다. 마음이 힘을 내니 몸에서도 힘이 난다. 그는 오로지 앞만 주시하며 달리기 시작한다. 다솜이의 체온이 그의 목덜미를 감싼다.

발이 어느새 물에 잠긴다. 큰 파도에 쫓겨 작은 파도가, 작은 파도에 쫓겨 큰 파도가 꼬리에 꼬리를 물고 밀려온다. 가슴이 철렁 내려앉는다. 등줄기가 서늘하다. 순간적으로 공포감이 엄습한다. 도대체 어찌 해야 하는가. 도무지 판단이 서지 않는다. 되짚어 섬으로 가야 하는가. 아반떼를 향해 내처 달려가야 하는가. 다솜이가 다리를 움츠리고 그의 목을 와락 껴안는다. 그렇다. 저 언덕에는 당당하게 버티고 선 방풍림이 있다. 그리고 그 너머에는 그녀가 있다. 짱당그리며 그를 한사코 뿌리쳤다 해도 그녀는 다솜이의 엄마다. 그는 입을 앙다물고 한순간도 발을 멈추지 않는다. 해무라도 깔린 양, 시야가 우련하다.

얼마나 달렸는가. 여전히 시야가 불투명하다. 거센 바람이 그의 귀를 사정없이 할퀴다 못해 등까지 매섭게 후려친다. 허리께에 물살이 한 차례 부딪친다. 그는 기우뚱거리다가 맥없이 엎어져버린다. 다솜이의 전신이 풍덩, 물속에 빠지고 만다. 그는 허우적거리면서도 다솜이를 안은 팔에 힘을 준다. 다솜이와 눈이 마주친다. 다솜이의 눈동자가 커다랗게 부풀어 오른다. 낯익은 눈동자다. 그녀의 눈이 다솜이의 눈 속에 들어 있다. 그녀의 눈꺼풀이 심한 경련을 일으키는데, 왈칵 그의 입 안으로 짠물이 들어온다. 코가 맵다. 문득 장작처럼 뻣뻣하던 어머니와 누나의 시신이 어른거린다. 모녀가 한 몸이 되어 떠난 것처럼 다솜이와 그도 한 몸으로 흘러갈지도 모른다. 그만 그의 몸이 마비된 듯 꼼짝도 하지 않는다. 뜻밖에 그녀가 저만치 서서 손짓한다. 다솜이 엄마! 다솜이 엄마! 아무리 용을 써도 소리는 입 안에서 맴돌고, 손은 그녀에게 미치지 못한다. 그녀가 사뿐사뿐 다가온다. 다솜이의 목청을 키우는데 이보다 더 좋은 방법은 없다구요. 그녀의 목소리가 생생하게 귀를 채운다. 그녀의 입이 가뿐하게 열린다. 그녀가 깊이 숨을 몰아쉬는 시범을 보인다. 참을 수 있는 한계점까지 참았다가 입술을 앞으로 힘껏 내밀며 길게 내뿜는다. 그런데 소리가 들리지 않는다. 분명 독특한 소리가 났는데……. 끝없이 깊은 곳에서 올라오는 숨소리였는데……. 숨비소리라고 했는데…….

몸이 옥죄인다. 순간 어디선가 소리가 올라온다. 힘차게 내뿜는 숨소리다. 고래가 뿜는 물이 솟구치듯 숨소리가 치솟는다. 숨비소리다. 다솜이다. 그는 다솜이를 흉내 내어 고개를 힘차게 쳐들어본다.

해설 | **박덕규** 소설가, 문학평론가

삶과 꿈과 말

— 김경 소설집에 부쳐

꿈꿀수록 작아지는 삶

— 삶은 꿈꿀수록 작아진다!

소설 「다시 그 자리」에서 그녀(종미)는 한때 자신과 동거한 남자(찰스)가 한 말을 떠올리고 있다. 종미는 딸(나미)의 아버지인 찰스의 고향 미국의 마이애미 국립공원에까지 와 있다. 종미와 결별하면서 임신 사실을 알고 낙태를 권했던 찰스는 불임인 처와 함께 종미를 찾아와 나미를 데려가기를 원했다. 싱글 맘으로 어렵게 살아오면서 찰스가 보내는 양육비도 거절해온 종미는 찰스 부부의 그 청을 거절했다. 그러나 이후 작중의 현재적 상황에서 종미는 전혀 당당하지 못하다. 도와줄 가족 없이 혼자서 돈을 벌어 나미를 양육해야 하는 일이 여간 어렵지 않다. 게다가 혼혈아동으로서 유치원에서 따돌림을 당한 뒤 극심한 스트레스로 시달리는 나미를 24시간 돌보아야 한다. 결국 종미는 나미를 떠나보내기로 작정하고 나미와 함께 이별여행을 와 있다. 이런 종미가 찰스가 했다는 '삶은 꿈꿀수록 작아진다'는 말을 떠올리는 건 어쩌면 지극히 당연한 일일 것이다.

이 세상에는 「다시 그 자리」의 종미처럼 또 꿈을 꾸었다가는 그 꿈을 향해 갈 수 있기는커녕 어김없이 자신의 비루함만 느끼게 된다는 사실을 잘 아는 사람들이 적지 않을 것이다. 이는 김경의 소설을 연이어 확인해 봐도 잘 알 수 있다. 이를 테면 「겨울, 긴 하루」의 기러기 아빠인 두 남자(최, 박)를 보자. 이들은 각각 학교생활에 적응하지 못한 자녀들을 미국으로 유학 보내면서 아내를 딸려 보내고는 사진촬영으로 취미생활을 하면서 일상의 돌파구를 마련해 왔다. 그러나 어느새 명예퇴출을 당하게 되거나(최) 유학 간 자녀에게 문제가 또 생긴 데다 스스로는 치명적인 병을 앓는(박) 신세가 돼 있다. 다른 소설 「숨비소리」에서도 그렇다. 뇌성마비에 자폐증세를 보이는 딸(다솜)을 어떻게든 잘 키워내려던 아내(진희)는 자신의 노력을 무시하는 그(준형)의 태도를 견디지 못해 3개월 전 가출했다. 소설은 진희가 머무는 곳을 수소문해 찾아가 삶의 전기를 마련하려던 준형의 현재를 그려낸다. 진희가 돌아오기를 거절해 버림으로써 준형으로서는 비참한 현실에 대한 자각만 경험한다. 또 「도둑」에서 만성 신부전증으로 투석을 하며 연명해 오던 그(장일도)의 처지에서도 이런 면모는 쉽게 확인된다. 신장이식 외에는 달리 생명을 연장할 방법이 없게 된 장일도는 20년 전 헤어진 아들(철민)을 찾아간다. 철민이 기꺼이 이식해 주러 와서 수술을 하루 앞두게 된 날 철민 엄마가 나타나 철민이 세 살 때 '남의 씨'로 몰아붙여 처자를 버리고(딴 여자)와 살림을 차린 장일도의 과거 파렴치를 폭로해 버린다. 또한 「터키풍으로」의 그녀(유소미)도 이와 다르지 않다. 유소미는 얼마 전까지 터키 동반 여행을 계획하던 어머니가 자살한 이후 혼자 터키 여행 대열에 끼어들어 일탈을 모색해 보지만 여전한 상실감에 빠져 헤어 나오지 못하고 있다.

김경의 소설의 주인공들은 모두 이렇듯 이전에 꿈꾸어 온 사랑의 완성이나 일상의 안정을 이루지 못했거나 잠시 이루었더라도 그것에 안주하지 못하고 있다. 이들에게는 어쩌면 사는 건 그냥 현실을 견뎌나가는 것이지 새로운 미래를 꿈꾸며 희망을 품을 대상이 아니다. 꿈을 꿀수록 자신의 삶이 비참해지기만 할 뿐이라는 걸 그들 스스로 잘 알게 돼 버렸다. 그나마 일상의 자리를 벗어나 떠돌이나 은둔자로서나마 새로운 꿈을 실현하려는 인물도 있기는 하다. 「게르」의 그녀(수영)나 아버지, 「환속」의 신애, 형, 여행자 등이 그런 인물들인데 실은 이들이 현재 도달해 있는 삶도 별다르지 않다. 그들은 일상에 파묻힌 사람들에 비해 나름대로 꿈을 추구하며 새로운 세상을 찾아 나섰으나 그럴수록 꿈의 실현은 요원해져 있다.

그들은 삶의 변두리에서 도돌이표처럼 겉돌고 있을 뿐이다. 그들의 삶 역시 꿈꿀수록 작아지는 삶에서 벗어나지 않는다.

꿈꿀수록 작아지는 삶이라는 말이 실제 문제가 되는 것은 그것이 김경의 작중인물에게만 해당하는 말이 아니라는 데 있다. 우리 시대 그 누가 이로부터 예외일 수 있을까. 우리는 날이 갈수록 그렇지 않은가. 누군가는 어릴 때 품은 과장된 꿈의 눈높이를 낮추지 못해, 누군가는 자신과 함께 꿈을 이루어 나갈 사람들과의 견해차 때문에, 누군가는 자신에게 닥쳐온 예상치 못한 운명 때문에 스스로 품은 꿈이 깎이고 꺾이는 아픔을 겪으며 제 삶의 크기를 움츠릴 수밖에 없게 됐다. 그래도 자신에 대한 남은 연민으로 그 꿈의 일부를 버리지 않고 키워온 사람들이 있기는 한데 그들도 결국 참담하게 제 삶이 한껏 작아지는 수모를 겪고 만다. 우리는 우리 삶이 어릴 때 꿈꾸던 것에서 이렇듯 멀어져 왔으며 또한 지금 꿈꾸는 것이 대체로 이루어지지 않는다는 걸 잘 알고 있다. 그러니 꿈을 꾼다는 것은 자신의 삶이 지금보다 더 비참해지리라는 예감을 실감으로 치환하는 일에 불과한 것이다. 삶은 정말, 꿈꿀수록 작아지는 것이다.

삶의 끝에서 다시 붙잡은 꿈

꿈꿀수록 삶이 작아진다 해서, 꿈꾸지 않고 그냥 살아야 한

단 말인가! 꿈꿀수록 작아지는 삶이 두렵다고 꿈을 피하는 삶, 꿈 없는 삶을 지향하고 살아갈 수 있을까. 물론 그런 사람도 있을 거다. 정말 우리 앞에 놓인 삶은 꿈꿀수록 우리를 확실히 비참하게 만들어 버리니까. 그래서 아예 꿈꾸지 않고 사는 그 삶이 비참하다는 느낌도 잘 인지하지 못한 채 살아가는 사람도 많으니까. 게다가 어쩌면 그렇게 사는 게 그들 잘못이라 말할 수도 없으니까. 아, 그런 사람들만의 세상은 그러나 너무 끔찍하지 않은가. 어떻게 꿈을 버리고 살 수 있단 말인가. 비록 꿈과 삶 사이의 엄청난 괴리가 자신을 거듭 비참하게 만들지라도 꿈을 붙들고 살아온 인간이 없었더라면 이 세상은 이나마도 인간이 살 수 있는 땅이 되지 않았을 게 아닌가. 절망과 시련 속에서도 지금과는 다른 삶을 위해 꿈을 품고 살아온 사람들이 있어 그들 스스로의 삶의 길을 새롭게 열어 왔으며 그 덕에 우리가 사는 세상 역시 이렇게라도 변해 있는 것 아닌가. 그러니 지금의 삶 앞에 미래를 향한 꿈을 묻어버린 사람들 틈에 그 어둠 속에서 실낱 같은 한 가닥 희망의 불씨를 찾아 그것으로 꿈을 밝히려 애쓰는 사람들을 주목해야 하지 않을까. 바로 김경 소설의 인물들도 실은 꿈을 지움으로써 비참한 현존을 몰각하려 한 데서만 머물지 않았다.

그녀의 목을 휘감고 있는 아이의 팔을 하나씩 떼어놓는다. 어느 새 이렇게 훌쩍 컸는가. 잠든 아이의 얼굴에 슬쩍 미소가 번진다.

아빠 엄마와 함께 잔디밭에서 뒹구는 꿈이라도 꾸는 걸까. 그녀는 아이를 따라 미소를 짓지 못한다. 과연 아이는 엄마 없이 행복할 수 있을까. 엄마가 없으면 아빠가 있고, 아빠가 있으면 엄마가 없는 이 부조리를 아이는 견뎌낼 수 있는가. 아니 이제까지 아이를 버팀목으로 살아온 나는? 제 입속에 새끼를 키우는 악어보다 못한 나는? 지금 나는 무슨 짓을 하려는 건가. 그녀는 벌떡 일어난다. 갑자기 마음이 바빠진다. 잠든 아이를 선뜻 일으켜 들쳐 업는다. 시간이 밭다. 그녀는 달리기 시작한다. —「다시 그 자리」

「다시 그 자리」의 종미는 자기 존재의 가장 중요한 근원인 딸을 더 양육할 수 없는 상황에 처해 버렸다. 이에 대한 최선책은 다시 찰스와 한 가족이 되어 나미를 함께 키우는 것이다. 그러나 찰스는 이미 자신을 떠나 본부인과 다시 가정을 이룬 처지다. 아들을 잃고 불임 상태가 된 그 부인이 나미를 원할 때 양육권을 포기했어야 했지만 그러지 않았다. 그때는 꿈을 꾸었고 그 꿈이 자신의 삶을 이토록 작게 만들지 몰랐던 것이다. 늦었지만 차선책은 나미를 포기하는 일이다. 이 작품은 그 차선책의 실천을 위해 나미와 함께 마지막 이별여행을 온 종미의 시간을 그리고 있다. 그러나 위에 인용된 마지막 장면에서 종미는 나미를 일으켜 들쳐 업고 있다. 이는 다시 한번 꿈을 붙드는 행위다. 종미의 삶에는 다시 험난한 가시밭길이 놓이겠지만, 그러나 꿈꾸는 삶을 버리지 않음으로써 자신의 삶을 자긍할 수 있으리라는 기대를 품게 한다.

얼마나 달렸는가. 여전히 시야가 불투명하다. 거센 바람이 그의 귀를 사정없이 할퀴다 못해 등까지 매섭게 후려친다. 허리께에 물살이 한 차례 부딪친다. 그는 기우뚱거리다가 맥없이 엎어져버린다. 다솜이의 전신이 풍덩, 물속에 빠지고 만다. 그는 허우적거리면서도 다솜이를 안은 팔에 힘을 준다. 다솜이와 눈이 마주친다. 다솜이의 눈동자가 커다랗게 부풀어 오른다. 낯익은 눈동자다. 그녀의 눈이 다솜이의 눈 속에 들어 있다. 그녀의 눈꺼풀이 심한 경련을 일으키는데, 왈칵 그의 입 안으로 짠물이 들어온다. 코가 맵다. 문득 장작처럼 뻣뻣하던 어머니와 누나의 시신이 어른거린다. 모녀가 한 몸이 되어 떠난 것처럼 다솜이와 그도 한 몸으로 흘러갈지도 모른다. 그만 그의 몸이 마비된 듯 꼼짝도 하지 않는다. 뜻밖에 그녀가 저만치 서서 손짓한다. 다솜이 엄마! 다솜이 엄마! 아무리 용을 써도 소리는 입 안에서 맴돌고, 손은 그녀에게 미치지 못한다. 그녀가 사뿐사뿐 다가온다. 다솜이의 목청을 키우는데 이보다 더 좋은 방법은 없다구요. 그녀의 목소리가 생생하게 귀를 채운다. 그녀의 입이 가뿐하게 열린다. 그녀가 깊이 숨을 몰아쉬는 시범을 보인다. 참을 수 있는 한계점까지 참았다가 입술을 앞으로 힘껏 내밀며 길게 내뿜는다. 그런데 소리가 들리지 않는다. 분명 독특한 소리가 났는데……. 끝없이 깊은 곳에서 올라오는 숨소리였는데……. 숨비소리라고 했는데…….

> 몸이 옥죄인다. 순간 어디선가 소리가 올라온다. 힘차게 내뿜는 숨소리다. 고래가 뿜는 물이 솟구치듯 숨소리가 치솟는다. 숨비소리다. 다솜이다. 그는 다솜이를 흉내 내어 고개를 힘차게 쳐들어 본다. —「숨비소리」

「숨비소리」에서 준형은 아내 진희를 찾아갔으나 끝내 외면을 당하고 절망에 빠진다. 진희는 심각한 장애를 앓고 있는 다솜이를 제대로 양육하기 위해 '뫼비우스의 띠'처럼 지냈다. 친정엄마가 물질할 때 하던 숨비소비까지 고도의 집중력으로 가르쳤다. 겉도는 신세가 된 준형의 불만이 폭발했고 이는 진희의 지극한 모성까지 공격하는 결과가 됐다. 진희의 가출은 영원한 결별을 뜻했다. 소설은 진희를 찾아왔다 끝내 데려오지 못하게 된 준형을 그리고 있다. 소설의 끝 장면인 위 대목에서 진희에게 거절당하고 돌아선 준형은 다솜이를 안고 정신없이 걸어 들어간 바닷길에서 밀물이 밀려와 그 바닷물을 호흡하는 다솜이의 숨비소리를 듣고 있다. 숨비소리는 자연과 육체가 하나로 통하는 호흡이다. 그것이 외할머니(진희의 엄마)-엄마(진희)의 대를 이어 마침내 다솜이로 이어진 것이다. 다솜이의 숨비소리는 준형에게 다솜이가 혈육의 역사와 자연의 순환을 온몸으로 받은 존재임을 각성케 한다. 준형은 "다솜이를 흉내 내어 고개를 힘차게 쳐들어"봄으로써 다시금 꿈을 꾸는 삶을 맞이한다.

그는 맥없이 침대에 엎드린다. 지금까지 살아온 세월이 일시에 그를 덮친다. 그 기억의 무게가 결코 만만치 않다. 너무 버겁다. 존재하는 기억의 마지막 한 점까지 깡그리 망각하고 싶다. 그는 슬며시 옆으로 돌아눕는다. 좀 전의 철민과 똑같은 자세다. 이대로 푹 잠에 떨어지고 싶다. 꿈이라도 꾼다면, 삶과 죽음의 경계를 넘나들며 훨훨 날아다니고 싶다. 아니 그 꿈은 허황된 바람이다. 이제 그에게는 최후의 비장한 무기를 꺼내 들고 경계 너머로 뚜벅뚜벅 가는 일만 남았다. 그 누구도 눈치 채지 못하도록 실바람처럼 부드럽고 나비처럼 가벼이 날갯짓을 해야 한다. 그 모습이 예사롭지 않다. 지금까지의 모습 중에서 최고다. 마냥 깊고 편안해 보인다.

내비게이션 없이도 길을 찾아가던 순간순간이 두둥실 구름처럼 눈앞에 떠돈다. 그는 보이지 않는, 혼자만의 미소를 머금는다. 스스로를 훔칠 수 있는 그는 어쩌면 최고의 경지에 이른 도둑인지도 모른다. —「도둑」

「도둑」에서 베테랑 택시 기사 출신 장일도는 만성신부전증을 앓아 신장 기능이 마비된 상태다. 투석으로 연명하고 있지만 이제 신장이식을 받는 외에는 생을 더 연장할 길이 없다. 지금 장일도에게는 이식을 받을 만한 돈이 없다. 이미 오랜 투병에 아내마저 얼마 전 유방암 수술을 받고나서 항암 치료를 받고 있고 딸들도 아버지를 위해 신장을 내놓으려고 하지는 않는다. 장일도는 아내를 통해 20년 전부터 인연을 끊은 쌍둥이 동생 이도에게 구원을 요청해 보고, 지인들에게 '조의금을 선불해 달라'는 편지를 돌리게도 한다. 모든 게 수포로 돌아가자 장일도는 자신이 버린 아들 철민을 찾아나섰고 그렇게 조우한 철민은 아버지를 위해 신장이식을 해주겠다며 병원을 찾아왔다. 소설은 장일도가 철민에게 신장이식을 받기 하루 전날을 현재적 시간상황에 두며 전개된다. 그리고 그 수술은 '없었던 일'로 끝이 난다. 철민의 엄마, 즉 장일도의 첫 부인이 들이닥쳐 장일도의 '도둑질'을 폭로한다. 20년 전 유부남이던 장일도는 첫 부인에게 세 살 된 아들 철민이 '남의 씨'라고 덮씌워 결별해 버리고 이도와 서로 좋아하던 처녀를 앗아 아내로 맞아들인 것이다. 아내는 발품을 팔아 '선불조의금'을 받아왔지만 이제 장일도에게 더 이상의 꿈은 남아있지 않다. '도둑질'로 살아온 장일도는 결국 '스스로를 훔치는 도둑'이 되는 길을 택하려 하고 있다.

「다시 그 자리」의 종미, 「숨비소리」의 준형, 「도둑」의 장일도는 절망 끝에서 마지막 불빛 하나를 꿈으로 붙잡는다. 그렇다고 당장 달라지는 건 없다. 종미는 혼자서 혼혈아동인 딸 나미를 키워내야 하고, 준형은 뇌성마비인 딸 다솜을 24시간 돌보면서 생업에 나서야 한다. 신장이식 수술에 들어가 보지도 못한 장일도가 이제 가닿아야 할 곳은 죽음의 세계다. 이들이 새삼 붙잡은 꿈은 이룰 수 없는 꿈에 불과한지도 모른다. 하지만 이들이 걸어갈 생의 시간은 꿈을 버리고자 했던 그 이전 상황과는 다르다. 눈앞에 닥친 현실에 사로잡혀 스스로 꿈을 차단해 버린 데서 이제 새로이 그 벽을 허물고 열린 세상을 향해 발걸음을 내딛은 것이다.

그것은 이를테면 「터키풍으로」의 마지막 장면에서 터키의 카파도키아에서 유소미가 열기구 착륙 기념으로 울려 퍼지는 '터키 행진곡'을 들으며 마침내 자살한 어머니에 대한 죄의식에서 벗어날 때의 심리 상태와 같다고 할 수 있다. 또는 넓은 초원을 끝없이 헤매는 삶을 사는 유목민들이 저녁이면 어느 자리에 중심을 잡은 게르를 향해 들어가는 모습 같은 것일 게다.

> 저만치 한 점 물체가 어렴풋이 나타난다. 물체는 시나브로 부풀면서 면적을 넓혀 나간다. 게르다. 외장이 알록달록한 원형의 게르는 드넓은 평원을 압도하듯 당당하다. 뿔뿔이 흩어져 달리던 모든 사람들이 하나같이 게르를 향해 돌진한다. 게르는 모든 유목민들의 구심점이라고 쓴 리포트의 한 구절이 떠오른다. 낯익은 얼굴들이 차례차례 내 곁을 스쳐간다. 그녀도, 아버지도, 나도 그들에게 뒤질세라 정신없이 내달린다. —「게르」에서

작은 하나일 뿐이되 드넓은 평원을 압도하는 당당함. 「게르」에서 현실에 마음 둘 데 없어 떠돌이 삶을 택한 수영이나

아버지, 또는 그들의 삶을 추적하는 나 모두를 지탱해 준 것도 바로 그것이었다. 김경 소설의 인물들이 작중의 마지막에 되찾은 것도 바로 그거였다. 게르가 '모든 유목민들의 구심점'이듯 그들이 현실의 무게에 짓눌려 잃어버렸다 되찾은 꿈이 곧 삶의 구심점이었다.

우리 삶에서 꿈을 앗아가게 하는 것들은 참 많다. 연인에게는 실연, 가족에게는 부부 이혼, 직장인에게는 해고, 수험생에게는 낙방, 일탈자에게는 심화되는 고독, 국민들에게는 권력의 부패 같은 것이 그런 것들 아닌가 싶다. 김경 소설의 인물들이 바로 그런 것들에서 꿈을 앗긴 사람들이며 그들은 곧 우리 자신의 모습과 다르지 않다. 우리는 어느새 우리 안의 어떤 힘에게 꿈을 앗겨 버린 것이다. 김경의 소설은 그렇듯 꿈을 앗긴 삶을 보여주되 그러나 그들-우리들이 자신의 처지를 조소하거나 방기한 패배주의자로 전락되지 않게 그 삶을 지켜내 끝내 꿈을 품게 함으로써 남다른 가치로 살아나고 있다.

되살리는 우리말의 풍요

김경의 소설은 어느 작품이고 문체의 간결함, 스토리의 집약성, 인물 중심의 내적 응집력 등에서 뒤로 물러나는 작품이 없다. 그만큼 촘촘하게 교직된 서사와 정확한 문장을 자랑한다. 이로써 산업화 시대를 지나며 사회의 폭력으로 파편화된 내면을 드러내는 데 남다른 장기를 드러내며 이른바 '리얼리즘의 모더니즘화'를 실천한 한국 단편소설의 전범에 가 닿았다. 이에 따라 한쪽으로는 서사적 정보의 생략으로 독서의 몰입을 지연시키는 약점 또한 안게 되었다고 할 수 있다. 결핍의 보상, 결별의 봉합, 상실의 회복 등의 스토리 패턴이나 여행지를 주된 배경으로 삼은 공간 설정 등은 김경 소설의 특별한 개성이 되기도 한다. 김경은 20세기를 반세기 가까이 체험한 이로서 2000년에야 등단한 늦깎이 작가이지만 동시대의 주제나 감각을 놓치지 않으려고 애쓴다. 그러면서 자연과 인간에 대한 세심한 관찰과 속 깊은 이해라는 세대적 관록으로 다급하게 표변하는 현실을 너끈하게 수용해 낸다.

김경의 소설에서 유달리 돋보이는 것은 우리말에 대한 남다른 애정과 이에 대한 실천이다.

> 어깨를 **초삭이고** 눈을 깜빡이면서 슬쩍 얼버무렸다. —「다시 그 자리」

> 우리 **의초롭잖아**? —「환속」

> 내용은 **옹송옹송하나** 그때까지 주정은 **잔주하는** 말로 이어졌다. —「겨울, 긴 하루」

일을 **염글리려면** 좀 더 **숙지근하게** 얘기해야 한다. —「숨비소리」

위에서 쓰인 초삭이다(←초삭이고), 의초롭다(←의초롭잖아), 옹송옹송하다(←옹송옹송하나), 잔주하다(←잔주하는), 염글리다(←염글리려면), 숙지근하다(←숙지근하게) 등은 우리가 일상어로 거의 쓰고 있지 않지만 실은 국어사전에 그대로 등재돼 있는 순 우리말이다. 어떤 말은 표현된 그대로 뜻을 이해할 수 있고 어떤 말은 사전을 찾아야 뜻이 이해되기도 한다. 중요한 것은 어느 편이든 말의 묘미는 묘미대로 살아나면서도 그 상황에 걸맞기로도 전혀 손색이 없다는 점이다. 가령 "우리 의초롭잖아?"는 "우리 사이좋잖아?"의 단순함을 넘고 "우리 화목하잖아?"보다 구수한 맛이 난다. 또한 "일을 염글리려면 좀 더 숙지근하게 얘기해야 한다"는 '일을 빈틈없이 완수하려면 기세를 누그러뜨리고 얘기해야 한다'는 뜻을 정겹고 단출하게 담아낸 표현이라 하겠다.

이 밖에도 애면글면, 나볏하다, 냉갈령부리다, 날파람 불다, 꺽지다, 지궁스럽다, 오솔하다(이상 「도둑」) 초강초강하다, 여낙낙하다, 진둥걸음, 재잴거리다(이상 「다시 그 자리」), 도슬리다, 제적지근하다, 자포록하다, 고상고상하다, 재우치다, 바잡다(이상 「환속」), 든직하다, 허우룩하다, 느껍다(이상 「터키풍으로」), 올근볼근, 달구리, 어리뜩하다, 흐리마리하다, 괴발디딤, 물컹이 같다, 막돌계단, 가멸다(이상 「겨울, 긴 하루」), 은결들다,

불뚝성, 오달지다, 바끄럽다, 부닐다, 매지구름, 짱당그리다(이상 「숨비소리」), 도리머리, 성마르다, 어리보기(이상 「게르」) 등등 숨은 우리말들이 불려나와 적재적소에서 빛을 발한다. 이 점 김경의 소설을 신뢰하게 만드는 힘으로 작용할 뿐 아니라 나아가 독자에게 우리말의 풍요로움에 대한 자긍심을 안겨주는 특별한 효과를 얻기도 한다.